JN290161

Appartements de filles à Paris
パリジェンヌのアパルトマン

introduction

「ようこそ、わたしのアパルトマンへ!」

エッフェル塔まで見渡せる、眺めのいいベランダ
れんがのえんとつと、連なるグレーの屋根を見下ろす窓。
ドールハウスのような、かわいらしい家具に、
ポップなモチーフの色あざやかなテキスタイル、
そして思い出のこもった、ノスタルジックな古いオブジェ。
そう、ここはパリジェンヌたちの
お気に入りが詰まった「女の子の小さな世界」です。

自分のクリエーションを発表しはじめたばかりの
フレッシュな女の子アーティストたちの暮らしには、
インテリアに、ファッションに、かわいい手作りや
自分らしいカスタマイズの工夫がいろいろ。
それぞれの個性がきらめく、アパルトマンは
ながめているだけで、ワクワク、
あれは?これは?と、気になるものばかりでした。

ハンドメイド好きなパリジェンヌたちのアパルトマン。
女の子って、楽しいよね!そんな気持ちにさせてくれる
クリエーションの夢が、いっぱい詰まった空間です。

ジュウ・ドゥ・ポゥム

Raya Kazoun (P.42)

contents

Hélène Druvert
エレーヌ・ドルヴェール ／ テキスタイルデザイナー ･････ 6

Marion Dupuis
マリオン・デュピュイ ／ アクセサリーデザイナー ･････ 12

Mademoiselle Camille
マドモアゼル・カミーユ ／ アクセサリーデザイナー ･････ 20

Leslie David
レスリー・ダヴィッド ／ グラフィックデザイナー＆イラストレーター ･････ 26

Christelle Gabillard
クリステル・ガビラール ／ セラミックデザイナー ･････ 32

Caroline de Tugny
キャロリーヌ・ドゥ・テュニー ／ 染織家 ･････ 38

Raya Kazoun
ラヤ・カズン ／ 洋服＆小物デザイナー ･････ 42

Sophie Leroy
ソフィー・ルロイ ／ ミュージシャン ･････ 46

Mélody Champagne
メロディ・シャンパーニュ ／ グラフィックデザイナー＆フォトグラファー ･････ 50

Clémence Gouache
クレマンス・グアッシュ ／ インテリア雑貨デザイナー ･････ 56

Elsa Kuhn
エルザ・クーン ／ 子ども服デザイナー ･････ 60

Séverine Juillon-Penon
セヴリーヌ・ジュイロン・プノン / アクセサリーデザイナー · · · · · · 66

Rebecka Oftedal
レベッカ・オフトダル / フォトグラファー · · · · · · · · · · · · 70

Johanna Fournier
ジョアンナ・フルニエ / 造形アーティスト · · · · · · · · · · · 76

Auriane Grosperrin
オーリアヌ・グロスペラン / 刺しゅう家＆テキスタイルデザイナー · · · · 80

Alexandra Balzam
アレクサンドラ・バルザム / スタイリスト · · · · · · · · · · · 84

Vanina Escoubet
ヴァニナ・エスクベ / ファッションデザイナー · · · · · · · · · 90

Rym Zouai
リム・ズーアイ / 洋服＆小物デザイナー · · · · · · · · · · · 94

Dorothée Beucher
ドロテ・ビュシェール / ショップオーナー · · · · · · · · · · 100

Aurélia Paoli
オレリア・パオリ / テキスタイルデザイナー＆イラストレーター · · · · 106

Violette Van Parys
ヴィオレット・ヴァン・パリー / アクセサリーデザイナー · · · · · 112

CHAMO
シャモ / イラストレーター · · · · · · · · · · · · · · · 120

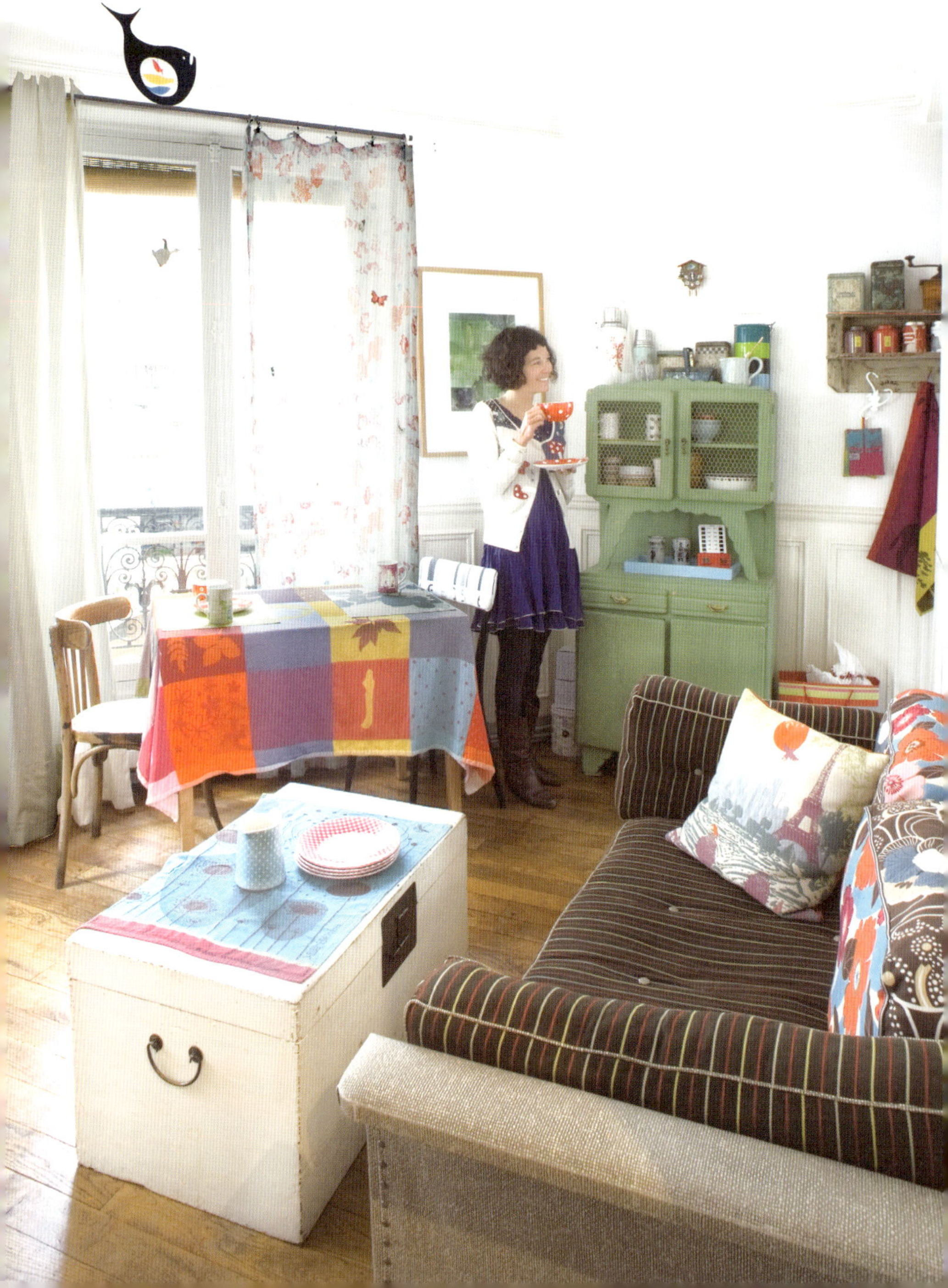

エレーヌ・ドルヴェール
Hélène Druvert
designer textile　テキスタイルデザイナー

チャーミングな物語がただよう、ドールハウス

お気に入りの赤い水玉模様のティーカップに
おいしい紅茶をいれて、エレーヌの朝ははじまります。
昨夜見た、楽しい夢を思い出しながら……。
ファッションや雑貨でも、ストーリー性を
感じられるものが好き、というエレーヌ。
夢の中から抜け出してきたような、どこかなつかしく
やさしい雰囲気がただようアパルトマンには
きのこやフェアリー、ふくろうなど
かわいらしい仲間たちも隠れています。

取扱いショップ / La Marelle ... Bon Marché, 24 rue de Sèvres 75007 Paris　01 44 39 80 00
Tissage Moutet chez Trousselier ... 73 boulevard Haussmann 75008 Paris　01 42 66 16 16

テキスタイルやステーショナリーのデザインを手がけるエレーヌは、11区のにぎやかな界隈に暮らしています。アパルトマンは、キッチンにサロン、そしてベッドルームという間取り。小さな暖炉や美しい鏡がある、この部屋にエレーヌはひとめぼれ。中でもいちばんのお気に入りが、ベッドルームです。夢に見た物語が、デザインのインスピレーションになることもあるという彼女にとって、ベッドは大事なスペース。天井から壁まで、かわいらしくディスプレイして、いい夢が見られそうな空間になりました。

左上：キッチンの小さな飾り棚には、お母さんから譲り受けた古いブリキ缶やコーヒーミルを並べて。
左下：パリの老舗の画材屋さん「セヌリエ」のノートには、作品のアイデアソースとなるスケッチやコラージュがたくさん。右上：調理台の上には、エレーヌがデザインした、ティータイムのステッカー。右下：お母さんが子どものころ遊んでいた人形のベッドを、マガジンラックに。

左上：フランスの雑貨ブランド「ラ・マレル」から発表するノートのための原画。右上：サロンの暖炉の上に、森の妖精たちの世界を作って。左中：明るくハッピーになれる装いが好きというエレーヌ。お気に入りのツモリ・チサトのカーディガンで。左下：1934年に作られた古いトランクの中に、北京を旅したときのおみやげをディスプレイ。右下：ベッドルームにあるアトリエコーナー。

左上：暖炉の前に置いた、おままごと用の小さな洋服ダンスにはメイク道具を収納。右上：ラックには、ツモリ・チサトのワンピース。物語を感じさせるデザインがお気に入り。右中：中国のカラフルな紙を貼って収納棚をカスタマイズ。左下：ヴァンヴののみの市で見つけた1900年ごろのドールハウスは宝物。右下：トランクは、エレーヌの大切なものを飾る、小さなギャラリースペース。

左上：8歳のころから持っているブリキのにわとりと、ブロカントで見つけたアフリカの人形。右上：本棚の上に並ぶ、ふくろうのぬいぐるみは、エレーヌのニックネームにちなんだ、友だちからのプレゼント。左下：ベッドサイドの壁は、イラストを描いたりステッカーを貼ったりした、楽しい夢の世界。右中：アートスクールを卒業するときに作った人形。右下：ハンドメイドのネコ・ネックレス。

マリオン・デュピュイ
Marion Dupuis

créatrice des bijoux «Bijouets»　アクセサリーデザイナー

ポップなキャンディーカラーがはじける遊園地

フランボワーズやいちごみたいな、赤い色。
くるくるとカラフルなガムが落ちてくるマシンに
青い目をした、ピンクのうさぎの大きなフィギュア。
子どもたちが、大喜びしそうなものに囲まれた
ポップでスウィートな、女の子のための小さなお城。
ここに暮らすのは、アクセサリーデザイナーの
マリオンと、ネコのマドモアゼル・シャ。
毎日のように浮かんでくるマリオンの楽しい
アイデアが、あちこちにちりばめられています。

取扱いショップ / Les Fleurs ... 6 passage Josset 75011 Paris　01 43 55 12 94
Purée Jambon ... 25 rue Durantin 75018 Paris　01 75 50 79 90

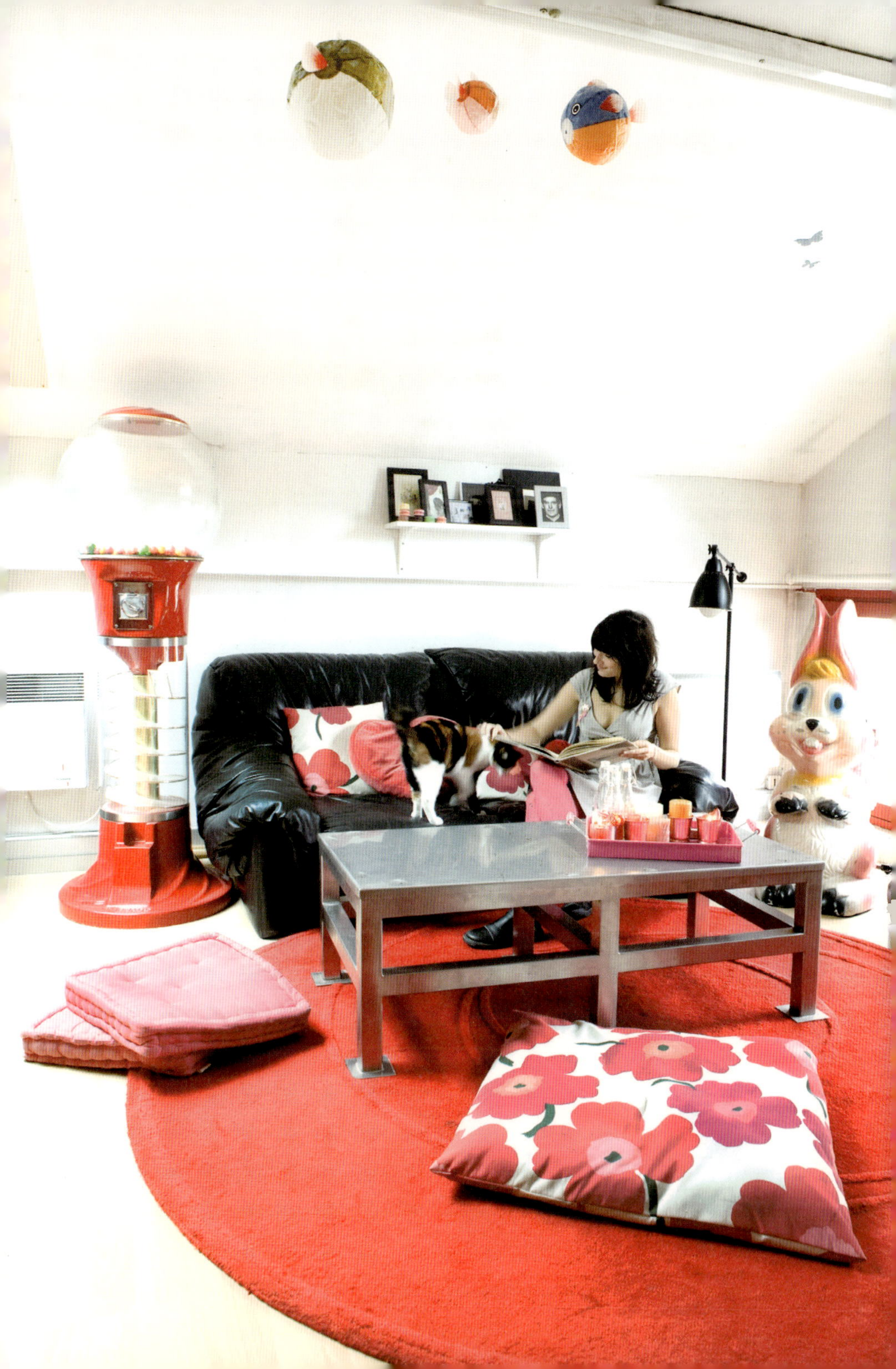

パリ郊外の町、クルムラン・ビセットルに暮らすマリオン。この広いアパルトマンはもともと、広告のフォトグラファーとして活躍するお兄さんが使っていた撮影スタジオ。部屋を譲り受けたマリオンはすべてリフォームして、自分らしいインテリアを作り出しました。まずいちばんに決めたのは、キュートな色使い。サロンとつながる開放的なキッチン、そしてベッドルームを、フランボワーズのような赤い色がつなぎます。どの部屋も大きく取った天窓から、さんさんと太陽の光が降り注ぐ、明るくフレッシュな空間です。

左上：スーパーなどでよく見かけるガム・マシンは、トゥレーヌに暮らす友だちから譲ってもらったもの。左下：「マリメッコ」のクッションとハート型クッションを、ソファーに並べて。右上：ピンクのトレーにはキャンドルとともに、アペリティフ用のシロップとキャンディーを用意。右下：うさぎもトゥレーヌの友だちから。マリオンは背中にバスケットを取りつけてマガジンラックに。

左上：「コントワール・ドゥ・ファミーユ」で見つけたアンティーク風の時計に、木の実のガーランドを飾りつけて。右上：マリオンが描いた赤ずきんちゃんの絵。左中：「ビジュエット」というブランドを立ち上げ、アクセサリーを発表しているマリオン。左下：整理棚の中にある、マドモアゼル・シャのベッド。右下：明るい天窓の下のダイニング。テーブルは、お兄さんが作ってくれたもの。

左上：お菓子をモチーフにしたコレクションを発表したばかり。ガラスジャーの中に、パーツを入れてディスプレイ。右上：お皿やカトラリーがプリントされたランチョンマットは、インテリアショップ「ポティロン」で。左下：他の部屋と同じように、キッチンも楽しくデコレーション。右中：シンク前の壁にピンクの糸を張って、レシピをピンナップ。右下：電子レンジの上には、3人の妖精たち。

上：調理台の足下をおおうカーテンは、マリオンのハンドメイド。壁には中国の花鳥画のコピーを貼って。左中：空き缶をキッチンツール入れにリサイクル。左下：木箱に人工芝を敷いて、フルーツバスケットに。右下：壁掛け式のワイヤーのキャンドルスタンドの前には、おばあちゃんから譲り受けた水玉模様のミニケトルと、アンティーク屋さんで見つけたピンクのポットを並べて。

左上：マリオンのベッドの上のマドモアゼル・シャ。右上：鳥かごの中に、友だちが描いてくれた恋人たちのイラストを入れて。右中：J・オットー・シーボルドの『アリス・イン（ポップアップ）ワンダーランド』はお気に入りの1冊。左下：布地やおもちゃをコラージュするようにして作られる、マリオンのアクセサリー。右下：パーツを仕分ける作業台にしている古いおもちゃ。

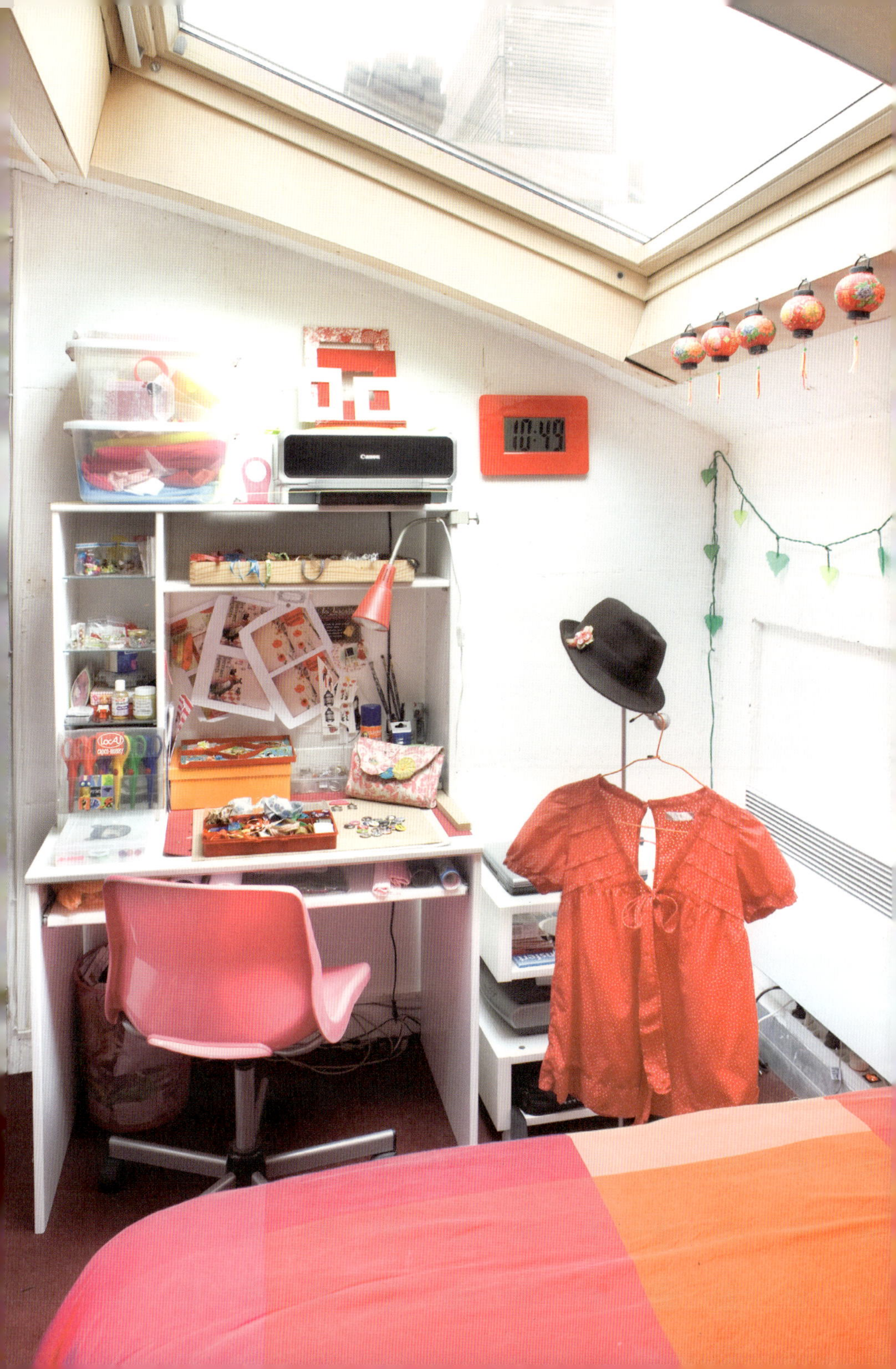

Mademoiselle Camille

マドモアゼル・カミーユ

créatrice d'accessoires　アクセサリーデザイナー

ロマンティックな時間をとじこめた宝石箱

やさしい水色にペイントした壁に、寄せ木貼りの床
白い天井を、エレガントに縁どる飾り。
暖炉の上の大きなゴールドの鏡の前は、
カミーユの宝物をひきたてる、とっておきの場所。
ロマンティックな時の流れを、感じることができる
アンティークのオブジェを愛する、カミーユ。
のみの市や、両親の家の屋根裏部屋で見つけた
掘り出し物が並ぶ、アパルトマンは
まるで、アンティークショップのようです。

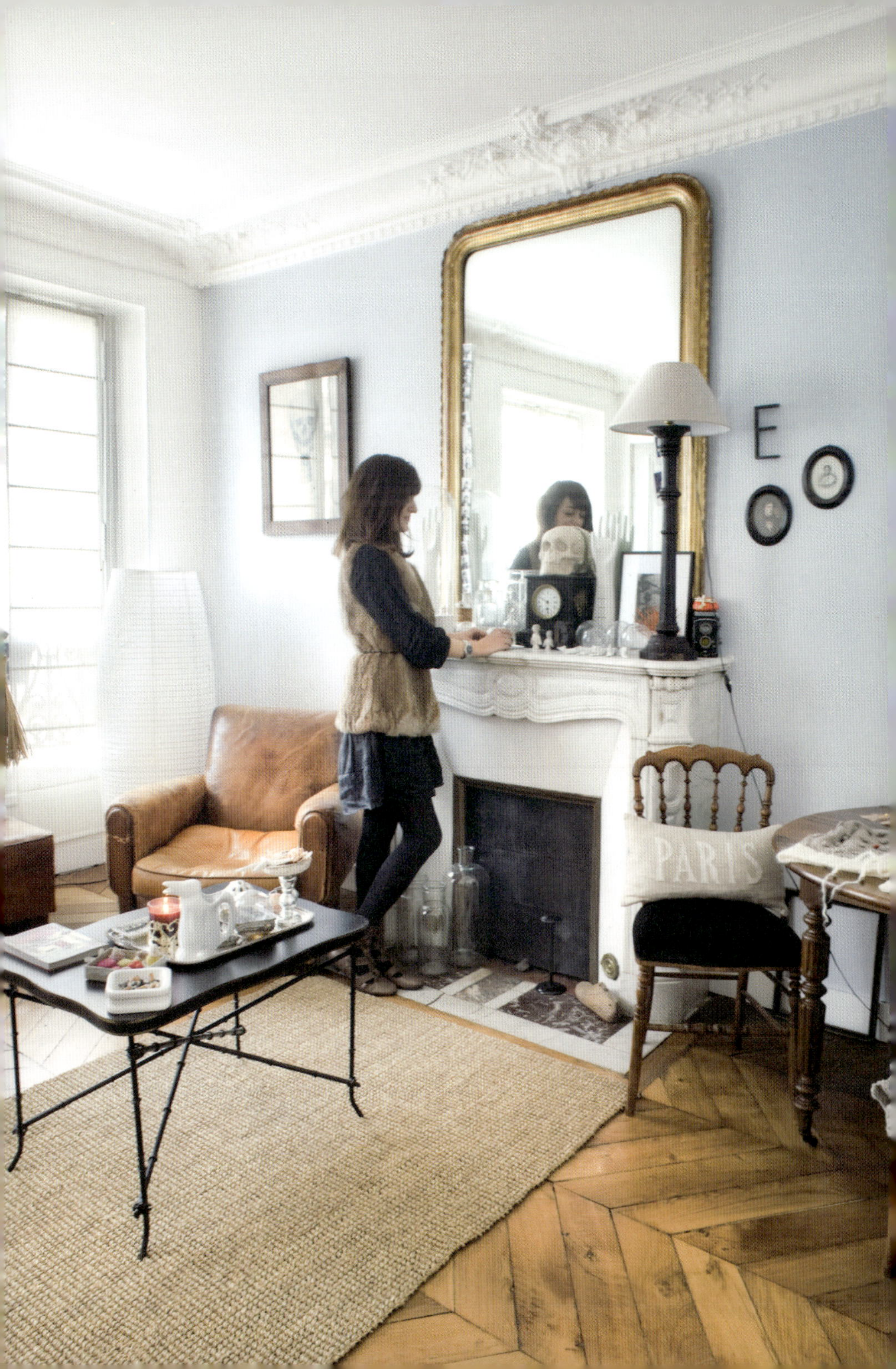
E
PARIS

アクセサリーデザイナーのカミーユの住まいは、サンジェルマン・デ・プレの細い通りに建つアパルトマン。子どものころ、お母さんと一緒に歩いた思い出のある、パリの中心のこのカルチエに暮らすことができてラッキーだったというカミーユ。部屋にはナポレオン3世風の長イスやコンソールテーブル、花瓶など、アンティークが美しく並びます。特に暖炉の上のディスプレイは、念入りに時間をかけているお気に入りの場所。さまざまな時代に作られたオブジェたちが、カミーユの手でエレガントにまとめられています。

左上：カミーユのメイクポーチ。顔色をよく見せるチークがメイクのポイントという彼女にとって、ブラシは特に大切。左下：レザー・スツールの上に、お気に入りのオブジェを広げて。右上：のみの市で見つけた石こうの頭がい骨と、別荘の屋根裏部屋から持ってきた古い時計、ゴム手袋を作るときに使われた型などを暖炉の上にディスプレイ。右下：友だちと一緒に編んだ、毛糸のお菓子。

左上：あわいピンクの羽根を使った、カミーユのアクセサリー。**右上**：昔おばあちゃんが使っていたような、がま口にインスピレーションを得たポーチ。**左中**：両親が経営するブティックのバイヤーとしても活躍するカミーユ。**左下**：インテリアショップ「ブラン・ディヴォアール」で見つけたクッション。**右下**：サロンのテーブル上には、カミーユのニット・コレクションの試作品を広げて。

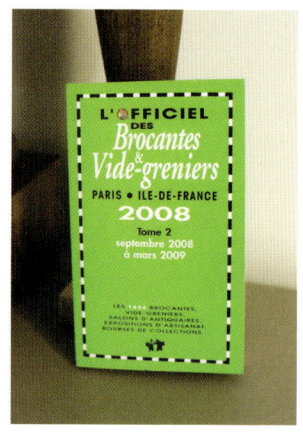

左上：ノスタルジックなプリントの布小物を扱う「エヌ・ヴィラレ」で見つけたクッション。中上：きのこのランプは「ボントン・バザー」で。右上：パリ近郊で開催される、のみの市のスケジュール・ガイドは週末のお供。左下：フェミニンなベージュでまとめたベッドルーム。右中：1930年代のファッション誌をコラージュしたボックスをナイトテーブルに。右下：木の靴型はのみの市で。

左上：のみの市で見つけた小さな宝物。左中：クッションは「ボン・マルシェ」で。右上：コンソール・テーブルの上にも、ポエティックな世界が広がります。左下：アンティークのハンガーラックにファージャケットと、両親にプレゼントされたシャネルのバッグ、レペットの靴をディスプレイ。右中：手編みのきのこ付き鉢植えは、お母さんからの贈りもの。右下：いつも持ち歩いている手帳やノート。

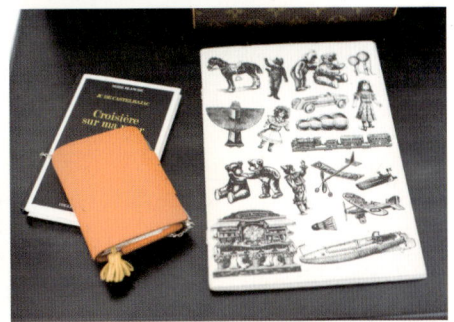

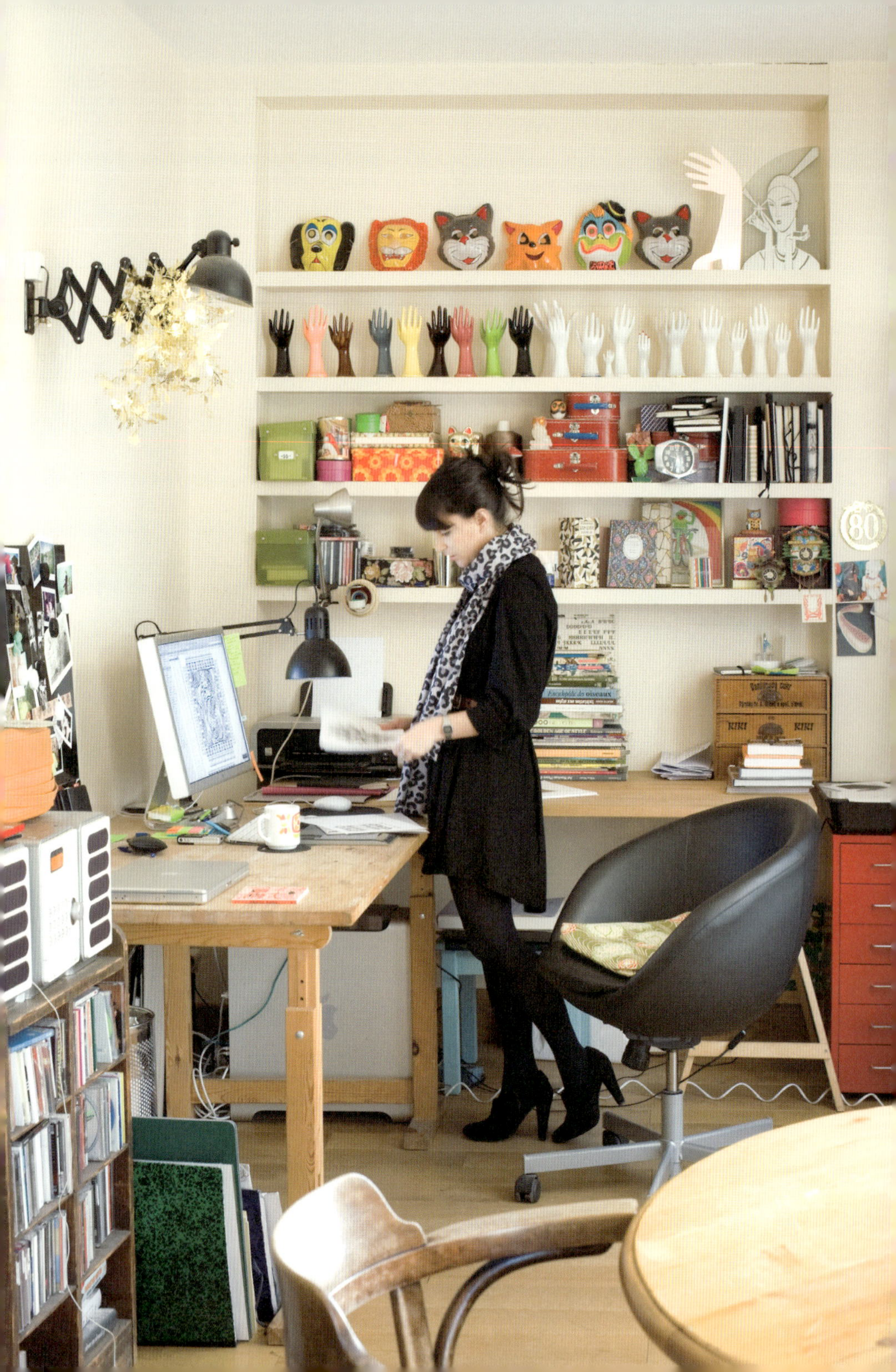

レスリー・ダヴィッド
Leslie David
graphiste et illustratrice　グラフィックデザイナー＆イラストレーター

ひとめぼれした雑貨たちのパーティータイム

ずらりと並べた、セラミックの手のオブジェに
仮装パーティーの思い出の、キッチュな動物マスク。
そしてチャイナタウンで見つけた、射撃のポスター。
ちょっとおもしろいデザインばかりでしょう？
という、グラフィックデザイナーのレスリー。
のみの市や、雑貨屋さんで見かけたときの
ひらめきを大切にして、集めはじめたものばかり。
レスリーがひとめぼれした、個性的な雑貨たちが
このサロンで出会い、新しいハーモニーを奏でています。

取扱いショップ / Surface 2 Air ... 68 rue Charlot 75003 Paris　01 44 61 76 27
Domestic chez Lieu Commun ... 5 rue des Filles du Calvaire 75003 Paris　01 44 54 08 30

クリエーターのショップや小さなビストロが立ち並ぶ、バスチーユのシャロンヌ通り。素敵なアンティーク屋さんや、新鮮な野菜が手に入るアリーグルの市場がある、この界隈はレスリーのお気に入り。彼女が暮らすのは、19世紀はじめに建てられたアパルトマン。仕切りのない広々とした空間に、サロンとダイニング、そしてアトリエを構えました。ものが多すぎると思いながらも、つい雑貨に手を伸ばしてしまうというレスリー。その個性的なコレクションに、彼女だけのユーモアやセンスを感じさせます。

左上：ダイニングコーナーは、両親から譲り受けたテーブルと、さまざまなデザインのイスをミックス。右上：お父さんがのみの市で見つけた伸縮アーム付きのウォールライトに、「ハビタ」のゴールドのガーランドを巻きつけて。右下：プラハみやげのミニチェストは、画材入れに。

右上：コレクションしている、セラミックの手のオブジェ。右中：以前、働いていたデザイン事務所で手がけた、クロエの香水のパッケージと、ガレージセールで見つけたボックスとノート。左中：アートスクール時代に描いたキャンバス作品。左下：「サーフェイス２エアー」から発表するＴシャツのためのイラスト。右下：お気に入りのイメージをピンナップしているボード。

左上：写真がキッチュで思わず笑ってしまった、ヨガのポーズの解説本。「ネコ百科事典」という サブタイトルもユニーク。右上：エンツォ・マリがデザインしたおもちゃ「おはなしづくりゲーム」。 左下：本棚とソファーベッドを置いたサロンのコーナー。柳でできた子ども用のイスは、ガレー ジセールで。右中：お気に入りのワンピースとバッグ。右下：マニッシュなデザインの靴たち。

左上：アメリカみやげのトートバッグ。左中：おしゃれに欠かせないステラ・マッカートニーの香水は、いつも買い置きしておくのだそう。右上：チャイナタウンで見つけたポスターは、キッチュな写真と、印刷の粗い質感にひかれて。左下：お気に入りのパンプスは、本棚の中央にディスプレイしながら収納。右下：のみの市でおもしろい本を探すのが好きというレスリーのコレクション。

クリステル・ガビラール
Christelle Gabillard
céramique designer　セラミックデザイナー

ネコもお気に入り、すがすがしい白のワンルーム

大きく開け放した窓から、するりと入ってきた
ジンジャーカラーが美しい、1匹のネコ。
「にゃあ」とひと声鳴くと、クリステルに甘えて
のどをゴロゴロさせています。
どこからやってくるのか、知らないけれど
たったひとつ分かるのは、クリステルとこの空間を
とても気に入っているみたいだということ。
ここに住みはじめて3か月、クリステルの部屋へ
よく遊びにくる、仲よしの友だちです。

取扱いショップ / L'Ile à Flo ... 37 rue Malar 75007 Paris　01 47 05 25 16

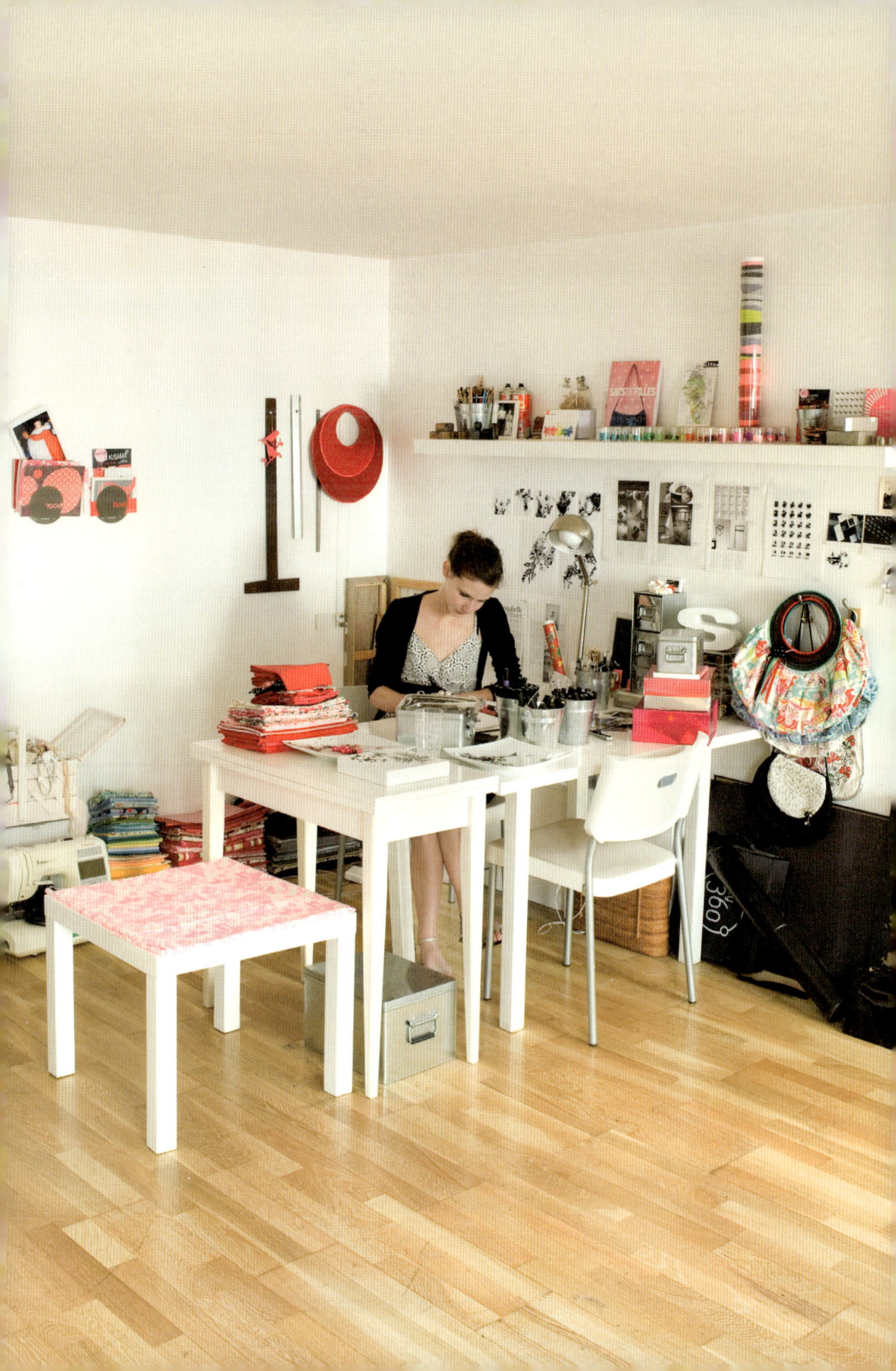
KUSAMA
SACS DE FILLES

ハンドプリントの食器シリーズをはじめ、ハンドメイドのバッグなど、手作りのぬくもりある作品を生み出すクリステル。彼女が暮らすアパルトマンは、サンマルタン運河近くの光あふれるワンルーム。壁をペイントしたり、タイルを貼ったり、時間を見つけては、いまも少しずつリフォームしています。すがすがしい白をベースにした空間にちりばめた、赤やピンクの雑貨がフェミニンなアクセント。文房具などこまごましたものは、お花屋さんで見つけたブリキのバケツに入れるのが、クリステルの収納のポイントです。

上：アトリエコーナーには、「イケア」の白い飾り棚を取りつけて。壁には展示会のインビテーションカードや、お気に入りの雑誌のページの切り抜きなどをピンナップ。左下：ハンドメイドのバッグのための布地。花柄などロマンティックなモチーフが好き。右下：お花屋さんで見つけたバケツは、えんぴつ立てにぴったり。彼から送られてきたポストカードと一緒にディスプレイ。

左上：棚のくぼみを利用した棚には、本と植物を並べて。右上：お花屋さんで見つけた鉢を白くペイントして、筆立てに。右中：キャンバス作品も手がけるクリステル。各サイズのフレームをストック。左下：数量限定でネット販売しているバッグは、「こんなデザインのものが欲しい」という思いから制作をスタート。右下：そろそろ飼い主のところに帰ろうかと外をのぞいています。

左上：おばあちゃんが1948年に撮影したエッフェル塔の写真。左中：ハンドペイントをほどこした
お皿。右上：サロンに置いたソファーベッドの上には、プレゼントされたぬいぐるみを並べて。左下：
通販カタログで見つけた、小物入れ付きの鏡。右中：ドレッサーの上の白いボールは、マルチカラー
に光るランプ。右下：クラシックなディテールが取り入れられた女性らしいシルエットのパンプス。

左上:「モノプリ」で見つけた、刺しゅうがかわいらしいクッション。右上:クチュリエだったおばあちゃんから譲り受けた洋服の型紙。左下:玄関には靴やバッグなど、赤い小物を集めて。右中:赤いキャンディーストライプの洋服は、「H&M」で。ずいぶん前に手に入れたけれど、いまでもよく着る1着。右下:クリニークの香水「ハッピー」のさわやかなフローラルの香りがお気に入り。

Caroline de Tugny
キャロリーヌ・ドゥ・テユニー

teinturière-patineuse　染織家

パリの空の下に集まる、さまざまな国の思い出たち

太陽の光が差しこむ、窓辺の棚に並ぶのは、
映画撮影用のコスチュームのための
染織を手がけるキャロリーヌが、旅してきた
思い出の土地で出会った、雑貨たち。
アフリカから持ち帰った、小さな鳥の巣に
マルタ島、シチリアなどで手に入れたキャンドル
ルーマニアのリボンや、香港のたばこケース……。
アパルトマンのグレーの屋根を見下ろせる
パリの空の下の、とっておきの特等席です。

JE T'AIME

ポンピドゥー・センターにほど近いアパルトマンに暮らす、染織家のキャロリーヌ。ここアール・エ・マチエールは、アクセサリーの素材を扱う卸し屋さんが集まるカルチエです。仕事がら、旅に出ていることが多く、家にいることがほとんどないというキャロリーヌ。さまざまな国で手に入れた宝物がたくさん詰まった小さな部屋は、まるでアリババの洞くつのよう。天井から吊り下げたり、壁にかけたりして、たっぷりとデコレーションしています。ひとつひとつのオブジェとともに、旅の思い出がよみがえります。

左上:旅の思い出をコラージュしたコーナー。窓のあいだに置いた水色の棚は、もともと通りに捨てられていたもの。右上:映画の撮影でおとずれた中国から持ち帰った水筒と、リスボンで手に入れたマリア像。右下:ふたにぴったりのサイズのお皿がついた、ホーローのボウル。

左上：友だちからプレゼントされた、アンティークの刺しゅう。右上：太陽の光を感じられる窓辺は、キャロリーヌにとっていちばん心地がいい場所。左中：ワイヤーで手作りしたラマ。左下：のみの市で見つけた、大きなポットカバー。右下：ベッドルームの壁には、コレクションしている観光地のおみやげ用の写真入りフレームをはじめ、お気に入りのオブジェをディスプレイ。

Raya Kazoun

ラヤ・カズン

créatrice de vêtements et accessoires　洋服＆小物デザイナー

パリの眺めをひとりじめする、青空のサロン

パリジェンヌなら、だれでもうらやましくなる

すばらしい眺めのアパルトマンに暮らす、ラヤ。

エッフェル塔に、モンパルナス・タワー

バルコニーから、パリ中を見渡すことができます。

ソファーを置いたサロンの壁面は、窓から見える

青空を映しとるような、スカイブルーに。

この部屋に、友だちを招くのが好きというラヤ。

ここでは、いつもレコードが回っていて

楽しいパーティーの余韻を感じさせます。

取扱いショップ / Gaspard de la Butte ... 10 bis rue Yvonne le Tac 75018 Paris　01 42 55 99 40
Base One ... 47 rue d'Orsel 75018 Paris　01 53 28 04 52

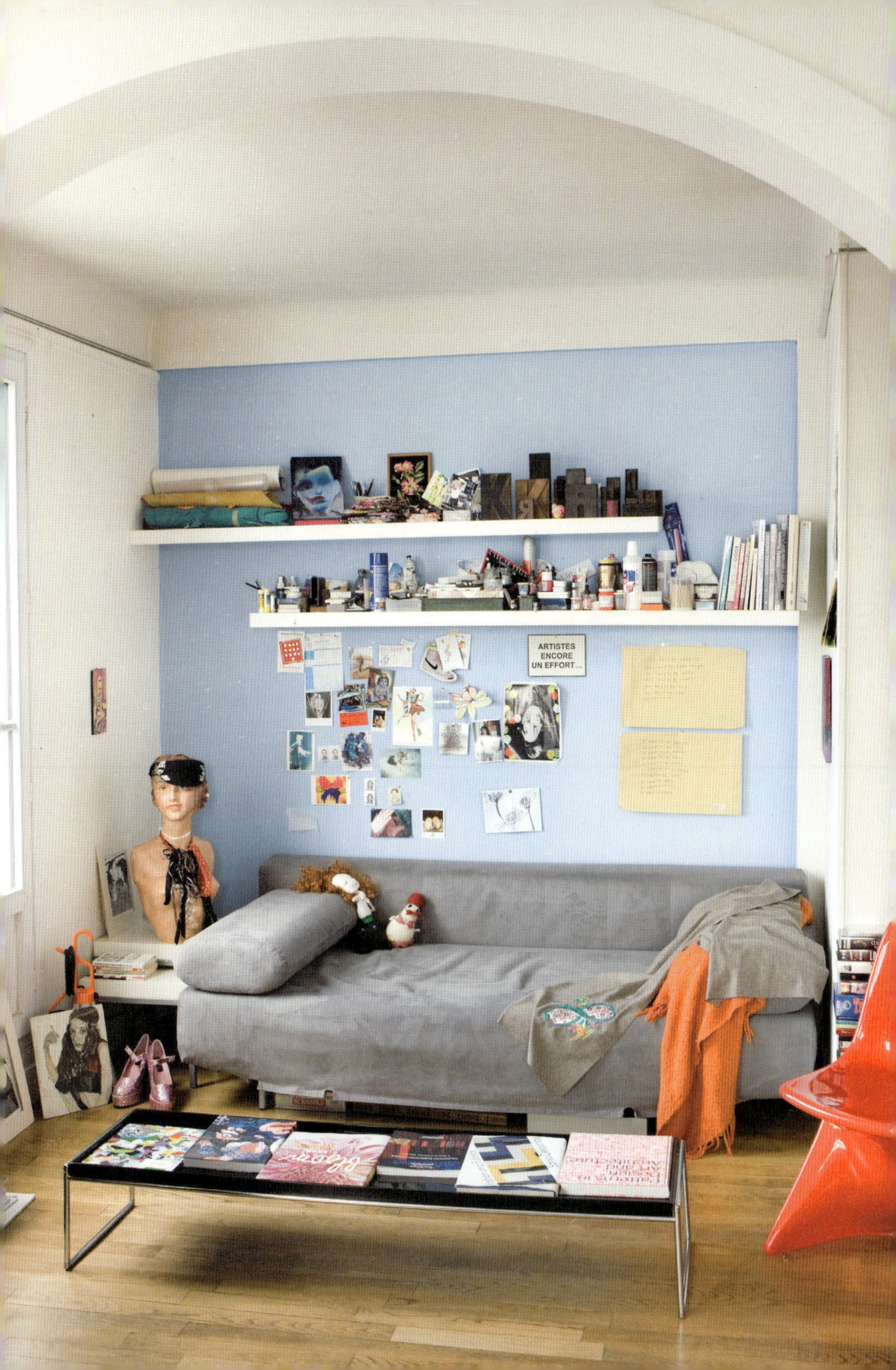
ARTISTES
ENCORE
UN EFFORT...

モンマルトルの丘にある、1950年代のアパルトマンの5階がラヤの部屋。大きな窓から太陽の光がたっぷりと入ってくる、気持ちのいい空間です。この広さ、眺めのよさ、バルコニー、部屋のすべてがラヤのお気に入り。大好きな場所で過ごす時間は、クリエーションにもインスピレーションを与えてくれます。ラヤが手がけるのは、シルクスクリーンで花やちょうちょをプリントしたTシャツやストールなど。いつの日か一点物のオーダーメイドの洋服を扱うブティックをオープンするのが、彼女の夢です。

左上：のみの市で見つけると集めている、RとKのイニシャルのスタンプ。机に描いたことば「アートとしてのファッション」は、ラヤの創作のコンセプト。左下：花を育てているベランダから、エッフェル塔にあいさつ。右上：玄関の天井から垂らしたグリーンのリボンは、パーティーのデコレーションの名残。右下：パンプスにぺたんこサンダル、靴は気分にあわせて、さまざまなタイプを。

左上：昨日もパーティーだったと楽しそうに語るラヤ。左中：インスピレーション・ソースになっている、50年代の洋服の型紙とレース。右上：デザイン画を描いたり、お裁縫したりするアトリエコーナー。壁面は「ドメスティック」のステッカーで、ポップに。左下：ブラジルのデザイナーが手がけた、繊細なアクセサリー。右下：M·A·Cのパレットは、美しい色が気に入って。

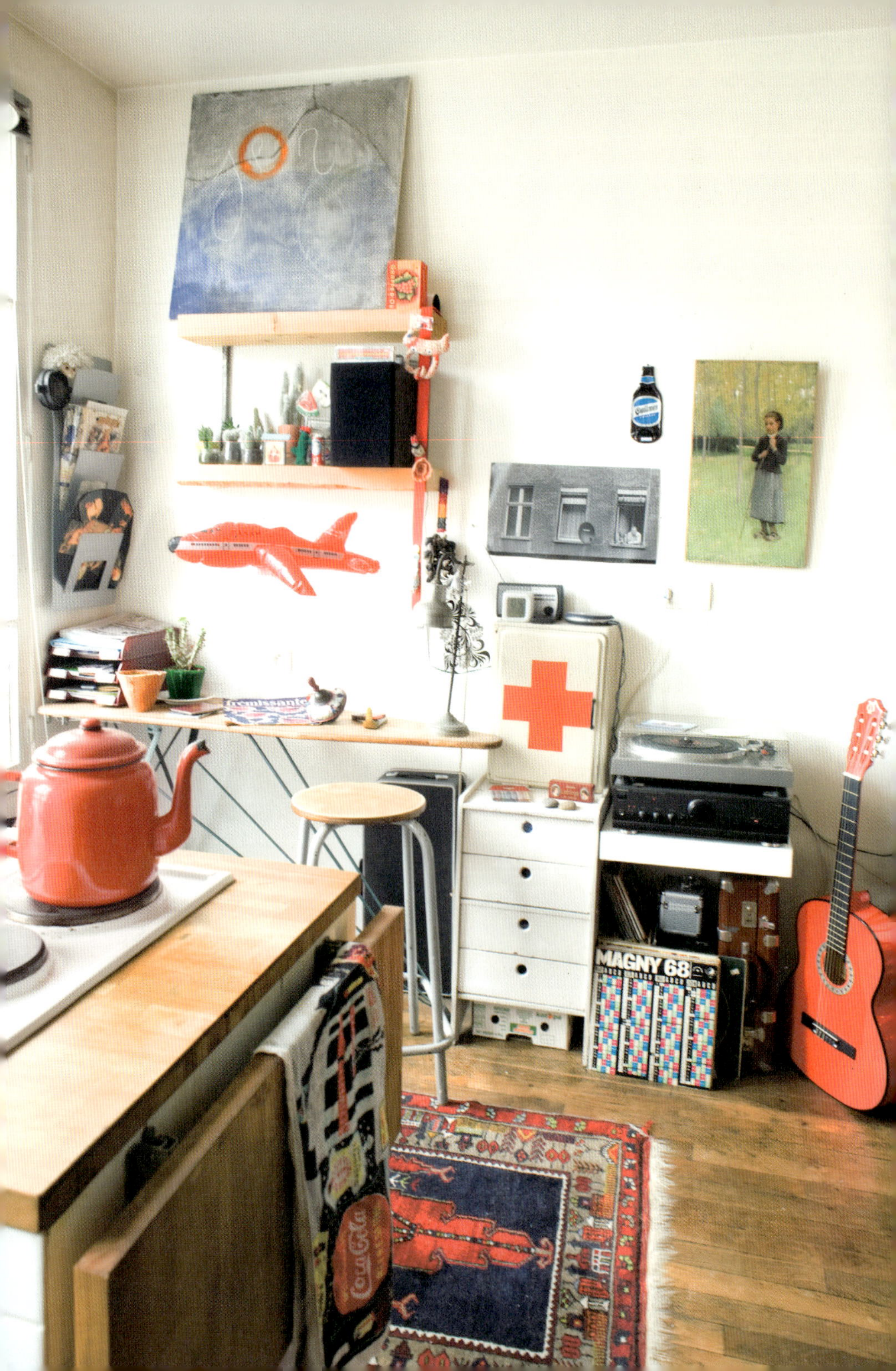
MAGNY 68

ソフィー・ルロイ
Sophie Leroy
musicienne　ミュージシャン

キュートなミュージシャンの小さなスタジオ

音楽と一緒に育ってきたの、というソフィー。
ピアノは10歳のとき、ギターは17歳のとき
そしてアコーディオンは、19歳のときに
すべて独学で、マスターしたのだそう。
かわいらしい音が気に入っているピアニカで
演奏したり、作曲したりすることも。
さまざまな楽器が集まる、小さなアパルトマン。
ブエノスアイレスで、ソフィーが演奏した
タンゴがレコードプレーヤーから流れます。

ベルリンでインスピレーションを受けて、「サヴォン・トランシャン」というエレクトロ・パンクのバンドを組んでいるソフィー。またヨーロッパ各地のバーやライヴ会場で、タンゴやシャンソンも演奏しています。彼女が暮らす18区は、モノクロ映画に出てきそうなカフェや古いホテルがある、ひと昔前のなつかしいパリを思い出させる界隈。ソフィーの部屋は14㎡という、とても小さなワンルームですが、キッチンもシャワールームもついています。コンパクトながら充実した室内は、キュートなソフィーにぴったりです。

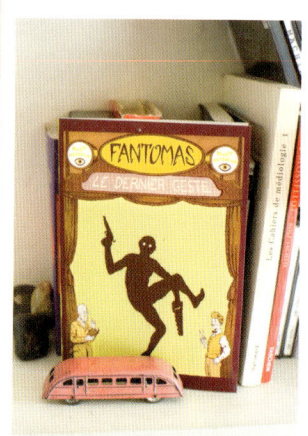

左上：壁のくぼみを利用して、小さな飾り棚をリズミカルにレイアウト。右上：バンド・デシネ作家として活躍する友だち、ブノワの新作『ファントマ』。右下：お父さんからのエクアドルみやげ、チャフチャスはヤギの爪で作られた楽器。両手でふりながらリズムを取る、パーカッションの一種。

左中：おばあちゃんから譲り受けた、小さな本のセット。**右上**：以前ここに暮らしていた友だちが手を加えていた壁に、星のランプを飾って。ソファーベッドの上には、子どものころから一緒のおおかみのぬいぐるみ。**左下**：プラスチック製のピアニカは、使っているうちに音が変わるので、半年に一度買い替えるのだそう。**右下**：マルグリット・ユルスナースの『黒の過程』は、お気に入りの1冊。

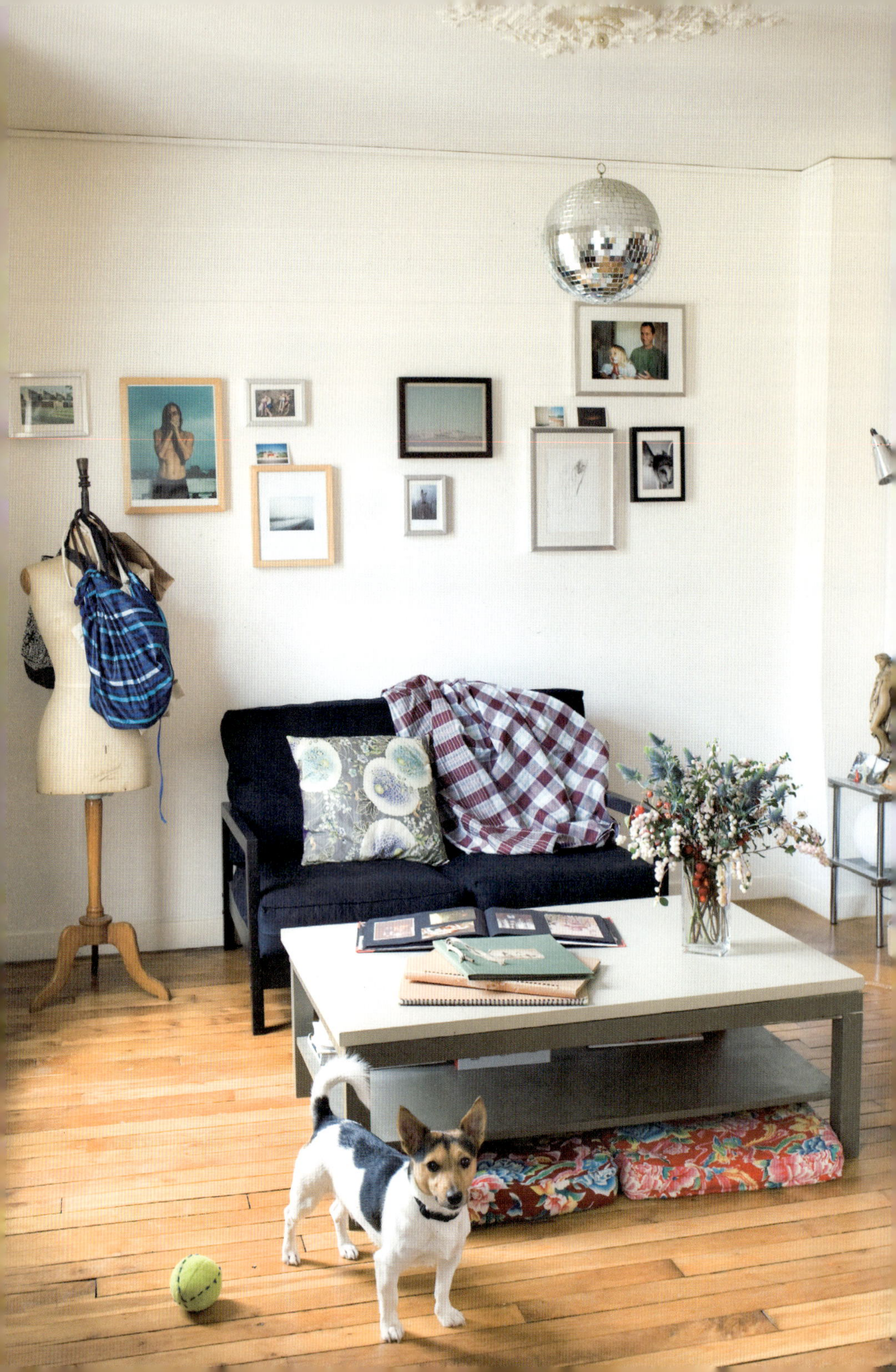

メロディ・シャンパーニュ
Mélody Champagne

graphiste et photographe　グラフィックデザイナー＆フォトグラファー

ポートレートや風景、思い出のフォトギャラリー

セルジュ・ゲンスブールの「メロディ・ネルソンの物語」
メロディの名前は、このレコードにちなんだもの。
子犬のフランソワが元気に走り回るアパルトマンでは
玄関にサロン、キッチンやバスルームの水回りまで
いたるところに、写真が飾られています。
家具や雑貨よりも、思い出の詰まった写真を、
そばに置いておきたいというメロディ。
カメラ片手に旅した先々で出会った風景や
お気に入りの写真家の作品が、壁に並びます。

取扱いショップ / Le 9 bis Shop ... 9 bis passage Thiéré 75011 Paris　01 40 21 72 95

モスクで飲むミントティーに、セーヌ河沿いのジョギング、リュテス円形劇場で夏に開かれるダンスイベントなど、このカルチエには楽しいことがたくさん！カルディナル・リモワンヌに暮らすメロディの部屋は、オスマン様式のアパルトマンの最上階。家具は、毎年ジャワ島で一緒にヴァカンスを過ごす、大好きなおばあちゃんから譲り受けたもの、またはのみの市で見つけた古いものばかり。できるだけシンプルにインテリアはまとめ、思い出のこもった写真をディスプレイして、自分だけの世界を作り出しています。

左上：ベッドを置いたコーナーの床下は、引き出し式の収納に。右上：メロディが影響を受けた写真集。リチャード・アヴェドンの『イン・ザ・アメリカン・ウエスト』は、写真の道に進みたいと考えたきっかけの1冊。右下：バレエシューズに、ピンクのチュールの飾りをつけてカスタマイズ。

左上：神秘的と感じたオブジェや写真を集めているコーナー。右上：マフラーを編んだり、ティアラをカスタマイズしたり、手作りを楽しんでいるメロディ。右中：なつかしい思い出のアルバム。メロディは、少女のころから写真を撮っているのだそう。左中：大好きな写真家で映画監督のラリー・クラークの展示会のインビテーション。左下：フランシスのベッドに、お気に入りのおもちゃを入れて。

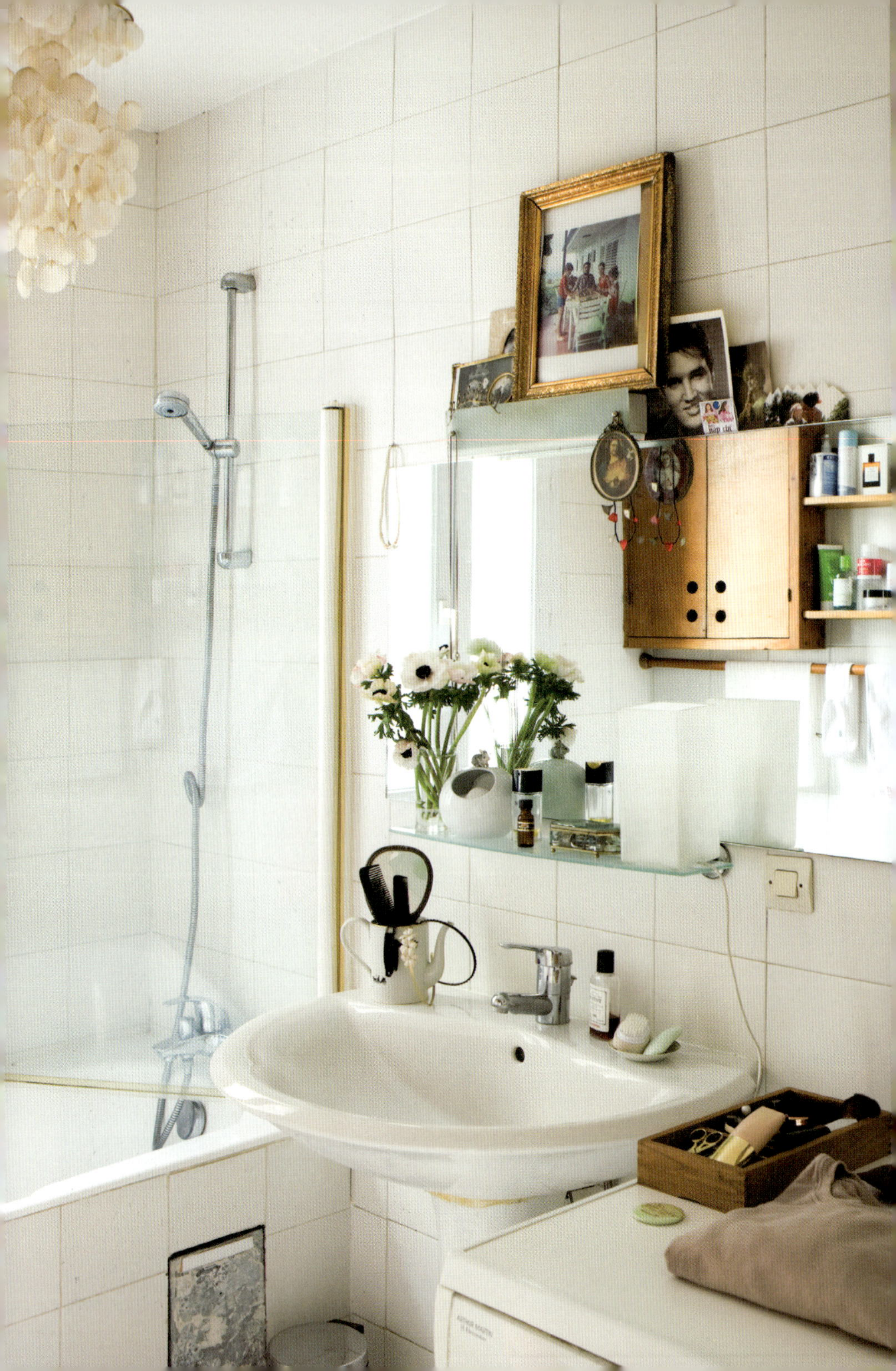

左ページ：バスルームの鏡の上に、家族の写真などを飾って。左上：メロディ愛用の香水。左中：バスルームにはデヴィッド・ハミルトンのポスターも。右上：天井から吊り下げたインドネシアのベルが、風にふかれて、さわやかな音をたてるキッチン。左下：ブリュッセルで見つけた古い写真と、ロンドンみやげのマグカップ。右下：ひいおばあちゃんから譲り受けた、大切なお皿。

Clémence Gouache

クレマンス・グアッシュ

créatrice d'accessoires　インテリア雑貨デザイナー

絵本の世界から飛び出した、ファニーな動物たち

ギンガムチェックに、水玉、花柄、アルファベット
さまざまなモチーフと、色をミックスさせて
にぎやかな世界を楽しんでいる、クレマンス。
動物が大好きだけれど、実はアレルギー体質で
一度もペットを飼ったことがないのだそう。
子どものころを思い出させる、まるい鉢を泳ぐ金魚
にわとりやふくろうなど、色とりどりの鳥たち……。
ファニーな表情の動物たちが、クレマンスが描く作品や
アパルトマンの中で、いまでは楽しそうに遊んでいます。

取扱いショップ / Lilli Bulle ... 3 rue de la Forge Royale 75011 Paris　01 43 73 71 63
La Troisième Place ... 65 rue Bichat　75010 Paris　01 42 41 71 09

左上:「フェー・ディヴェール」の鳥のオブジェは、お気に入りの雑貨。左中:ソファーにはハンドメイドのクッションやぬいぐるみを並べて。右上:日当りのよいサロンに置いた、キュートな色のローテーブルは「イケア」で。壁にかけた絵はクレマンスが描いたもの。左下:まるく開いた穴がかわいらしい靴は「メローイエロー」のもの。右下:10センチ四方の正方形キャンバスに描くシリーズ作品。

パリの西に位置する郊外の町、ブローニュ・ビランクールの住宅街に暮らすクレマンスは、インテリア雑貨を手がけるデザイナー。創作のため広いスペースを求めていた彼女にとって、このバルコニー付きアパルトマンは、まさに願い通り。広々としたサロンの一角をアトリエコーナーに、さらに小さな部屋は、作品や素材のストックルームにしました。その分ベッドルームは、ベッドだけを置いたシンプルな空間に。この間取りのおかげで、アクティブな時間とリラックスタイムを、上手に分けることができています。

左上：ピンクの天板に、黒い脚をつけたデスクをアトリエに。壁には、創作のインスピレーションになるヴィジュアルを集めて。右上：妖精グッズをコレクションしている友だちにプレゼントしようと思っているフィギュア。右下：ピンクやプラム色など、女の子らしい色が好きというクレマンス。

左上：大好きなピンクでまとめたベッドルーム。ベッドリネンは「デザイン・ギルド」、クッションは「イケア」のもの。右上：毎日持ち歩いているバッグは、お父さんからのプレゼント。右中：アイデアが詰まっていて楽しい、お気に入りのハンドメイドの本。左下：金魚鉢をモチーフにしたステッカーは、クレマンスの作品。右下：鳥かごと筆立て、そしてにわとりを描いたキャンバスを並べた棚。

CREME BLUSH
DRACULA
Ayako
95
DRAMA Queen
VALENTINES PARTY
Album
LE STYLE HITCHCOCK
Mucha
PALOMAR
HATS & COMPAGNIE
WARHOL

エルザ・クーン
Elsa Kuhn

créatrice de vêtements «Eva Koshka»　子ども服デザイナー

フィフティーズのロック・スタイルを楽しんで

イギリスやアメリカのロックンロールと、
アンディ・ウォーホルの大ファンだというエルザ。
本棚には、CDとレコードがぎっしり。
キッチュなネコ型の時計や、50年代のテーブルなど
アパルトマンに並ぶのは、レトロな雑貨たち。
お気に入りのヒョウ柄の布を使ったり、
壁や家具を、カラフルにペイントしたり
エルザのスタイルに、カスタマイズ。
ロックでポップなインテリアを楽しんでいます。

取扱いショップ｜Le Petit Bassin de « Fruit Punch » ... 32 rue de Rivoli 75004 Paris　01 42 74 43 31
By Fourmis Rouges Espaces Créateurs ... Forum des Halles niveau-1 75001 Paris　01 45 08 44 93

ロッカー・スタイルのベビー服を手がける、デザイナーのエルザが暮らすのは、ピガールの小さな通り。アパルトマンは、古いパリの建物によく見られる、天井の梁と斜めになった壁が特徴的な屋根裏部屋です。ティーンのころは、ウォーホルにあこがれて、ファクトリーをまねて、壁をアルミ箔でおおったこともあるというエルザ。自分で工夫して、インテリアをカスタマイズするのが大好き。彼女のラッキーモチーフのヒョウ柄のテキスタイルをアクセントに取り入れた、レトロでロックな空間ができあがりました。

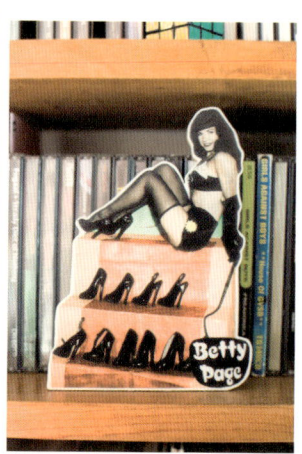

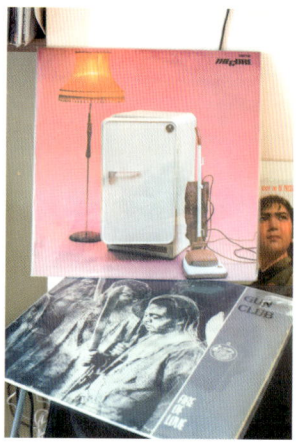

左上：レコードプレーヤーを置いたラックの前を歩くのは、わんぱくなソニック。もう1匹の白いネコのビジューは、まるでお姫さまのような性格なのだそう。右上：50年代のピンナップガール、ベティ・ペイジのカード。右下：ザ・キュアーとガン・クラブのレコード。

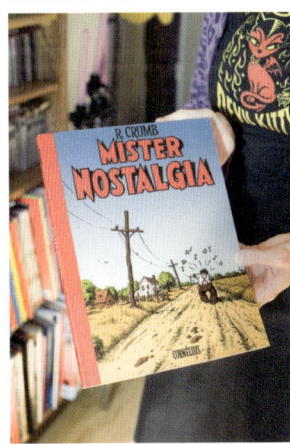

左上:アンティーク屋さんで見つけた50年代のランプシェードの後ろは、エルザが描いたグラフィカルな作品。左中:ロバート・クラムの『ミスター・ノスタルジア』は、ブルース・ミュージシャンについて描いたコミック。右上:レトロ・ポップな雑貨を集めたコーナー。50年代のチェストは、エルザが赤くペイント。左下:エルザのブランド「エヴァ・コシュカ」のベビー服。

左上：戸棚の中も、ヒョウ柄でデコレーション。マリア像はリスボンみやげ。左中：「ボン・マルシェ」で見つけた、ピンクフラミンゴのピック。右上：友だちの家具デザイナーにオーダーメイドで作ってもらったキッチン・カウンター。左下：キッチンの片隅には、ソニックとビジューの食事コーナー。右下：ネコたちのつめとぎも、ヒョウ柄にリメイク。

左上：パンプスやスニーカーにも、ヒョウ柄を取り入れて。**右上**：15歳のころ、おじいちゃんがおばあちゃんへとロシアから持ち帰った、大切な思い出のこもったマトリョーシカ。**左中**：ベッドルームのドアの上には、通りで見つけた「必ずヘルメット着用のこと」という標識を飾って。**左下**：ベッドサイドにはタランティーノ監督の映画のポスター。**右下**：1930年代のホラー映画のポスターも。

セヴリーヌ・ジュイロン・プノン
Séverine Juillon-Penon

créatrice des bijoux «Objet Trouvé»　アクセサリーデザイナー

おだやかさと緑に包まれた、私だけの小さな島

おだやかさと静けさを感じる、サロンの窓辺は、
セヴリーヌのお気に入りの場所。
やわらかい木もれ日を作り出す、中庭の木々。
手すりには、プランターを取りつけて、
シクラメンや、パンジーを育てています。
アクセサリーづくりのあいまに、ここで
ブルドッグのクロエと一緒に、リフレッシュ。
さわやかで、やさしさただようサロンを
セヴリーヌは「私の小さな島」と呼んでいます。

取扱いショップ / Désordre Urbain ... 96 rue Nollet 75017 Paris　01 44 85 52 27
Afwosh ... 10 rue d'Hauteville 75010 Paris　09 52 91 44 80

左上：南フランスのポーにあるアートスクールに通っていたころ、手がけた作品。**左下**：友だちがプレゼントしてくれたウェディング・ドールは、セヴリーヌと彼がモデル。**右上**：サロンのソファーには、光で色が変わるタフタのカバーをかけて。**左下**：かわいらしいティーセットは、エマウスや雑貨屋さんなどで集めたもの。**右下**：家の近くの雑貨屋さんで見つけた花型のキャンドルスタンド。

バティニョールは、小さな村のようなカルチエ。クロエとお散歩していると、通り沿いのお店の人がみんなあいさつしてくれるのだそう。そんな親しみやすい町の雰囲気と、この中庭のあるアパルトマンを、気に入っているセヴリーヌ。庭に面したサロンとアトリエは、壁の3分の2をやわらかなカーキ色に、天井近くは明るさを残すために白くペイントしました。セヴリーヌがいちばん長い時間を過ごすのは、アトリエのデスクの前。友だちのカティと一緒に、ファンタジックなアクセサリーを作り出しています。

左上:ピンクにペイントしたフレームを、いくつも取りつけて、大切にしているセラミックのフィギュアのディスプレイ・コーナーに。左下:セヴリーヌたちのアクセサリーブランド「オブジェ・トゥルヴェ」のアクセサリー・パーツ。右上:ハンドメイドの作品や、ガレージセールで見つけたピアス。右下:「イケア」のランプの下、CDコンボには鳥のオブジェとランの花を飾って。

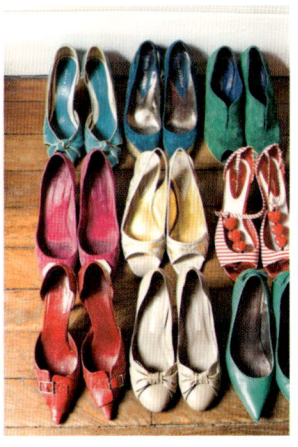

左上：机のまわりには、アクセサリーづくりに必要なすべてのパーツと道具が揃っています。**右上**：セヴリーヌのクリエーションのミューズ、クロエとはもう6年間、ずっと一緒。**右中**：玄関に並べた、カラフルなパンプス。**左下**：ひいおばあちゃんから譲ってもらった宝物。**中下**：フックには、クロエのお散歩用リードがずらり。**右下**：かぎ針編みのぶたさんは、「ザラ・ホーム」で。

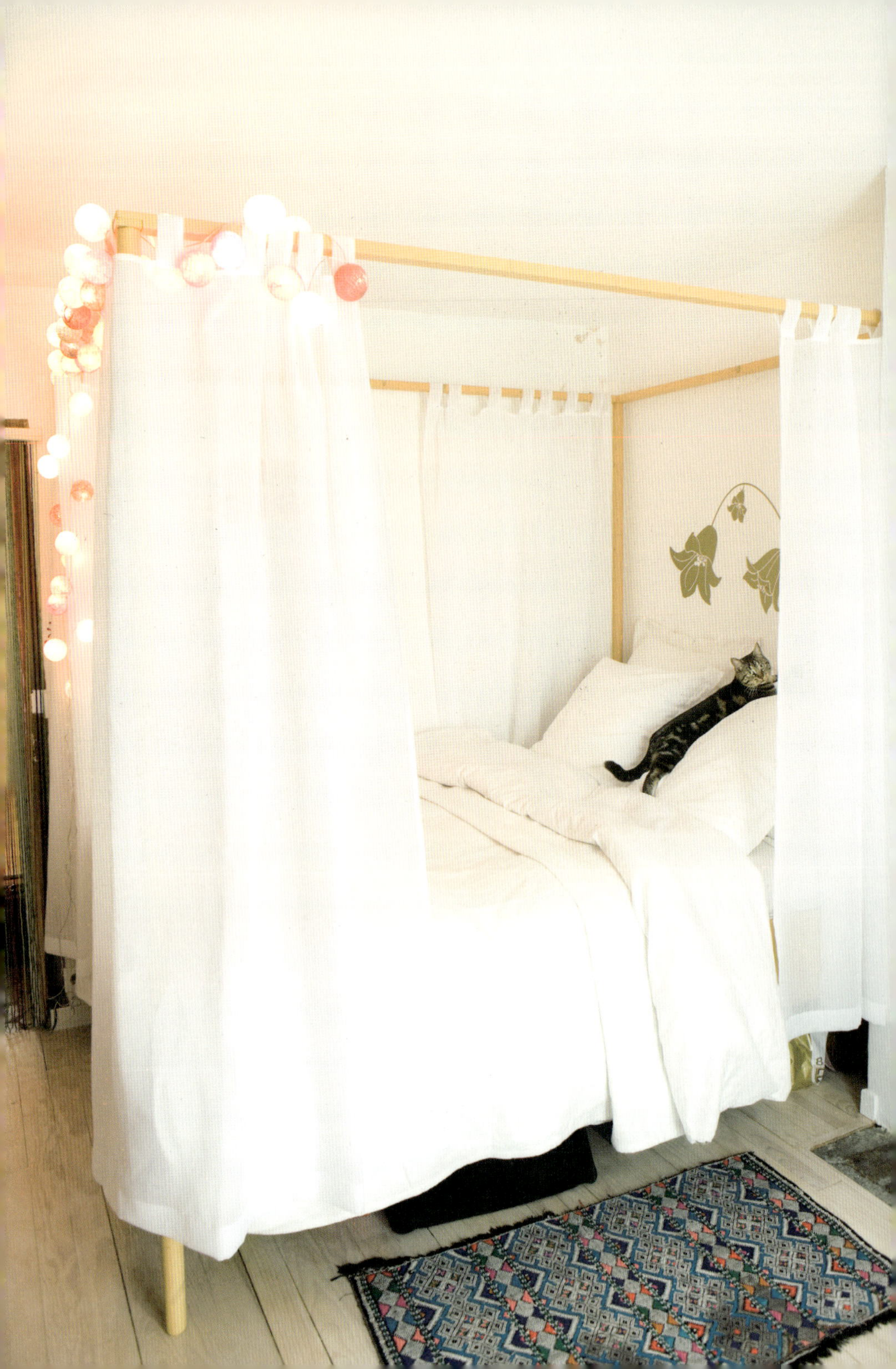

レベッカ・オフトダル
Rebecka Oftedal

photographe　フォトグラファー

さわやかでガーリー、北欧スタイルのアパルトマン

シンプルであることと、くつろげることを
インテリアで、大切にしているというレベッカ。
もともと、おばあさんがひとり暮らししていた
この部屋を、床から壁まですべてリフォーム。
キッチンをつけたり、電気を引いたりして
快適なアパルトマンに、変身させました。
ベッドでくつろぐ、ネコのミミも気持ちよさそう。
ピュア・ホワイトが光を集める、明るい空間に
さわやかな風が、吹き抜けていくようです。

お母さんはフード・ジャーナリスト、お父さんはスウェーデンの新聞のフォトグラファー。子どものころから、お父さんの古いハッセルブラッドをおもちゃにしていたレベッカにとって、写真の道へ進んだのは自然なことでした。このアベスのアパルトマンも、両親に手伝ってもらってリフォーム。スウェーデンにルーツを持つ彼女らしい、北欧スタイルの明るくシンプルな空間です。お料理好きのレベッカに、お父さんは新しいキッチンをプレゼント。さまざまなレシピにチャレンジする、お気に入りのスペースです。

左上：ベッドのフレームを飾るガーランドは、アベスにある雑貨屋さんで。ボールの色を選ぶことができたので、自分でコーディネート。左下：広告や雑誌などで、インテリアの撮影を手がけているレベッカ。右上：子どものころから持っていた木の棚には、家族や友だちの思い出の写真をディスプレイ。右下：ノートを「レ・ザンヴァジオン・エフェメール」のステッカーでカスタマイズ。

左上：スウェーデン出身でパリ在住アーティストのカリン・ルヴィンの作品。左中：お母さんからプレゼントされたボックス。右上：写真の調整などの作業をするデスク。イスは大好きなピンクにペイント。左下：お父さんが撮影してくれた子どものころの写真は、お気に入りの1枚。右下：両親が暮らすノルマンディーの家から、ときどきレベッカのアパルトマンに遊びにくるネコのミミ。

左上:朝ごはん用のパン・ケースとティーポット。中上:キッチンツール入れの前には、北欧の家庭でよく見られる手編みのポットホルダー。右上:「マリメッコ」のトレー。左中:両親の家の庭でとれたりんご。左下:スウェーデン製のサボ。右下:美しい陶器のカップや、おばあちゃんのリキュールグラスを並べた棚。右ページ:ダイニングに置いた木のベンチは、子どものころに使っていたベッド。

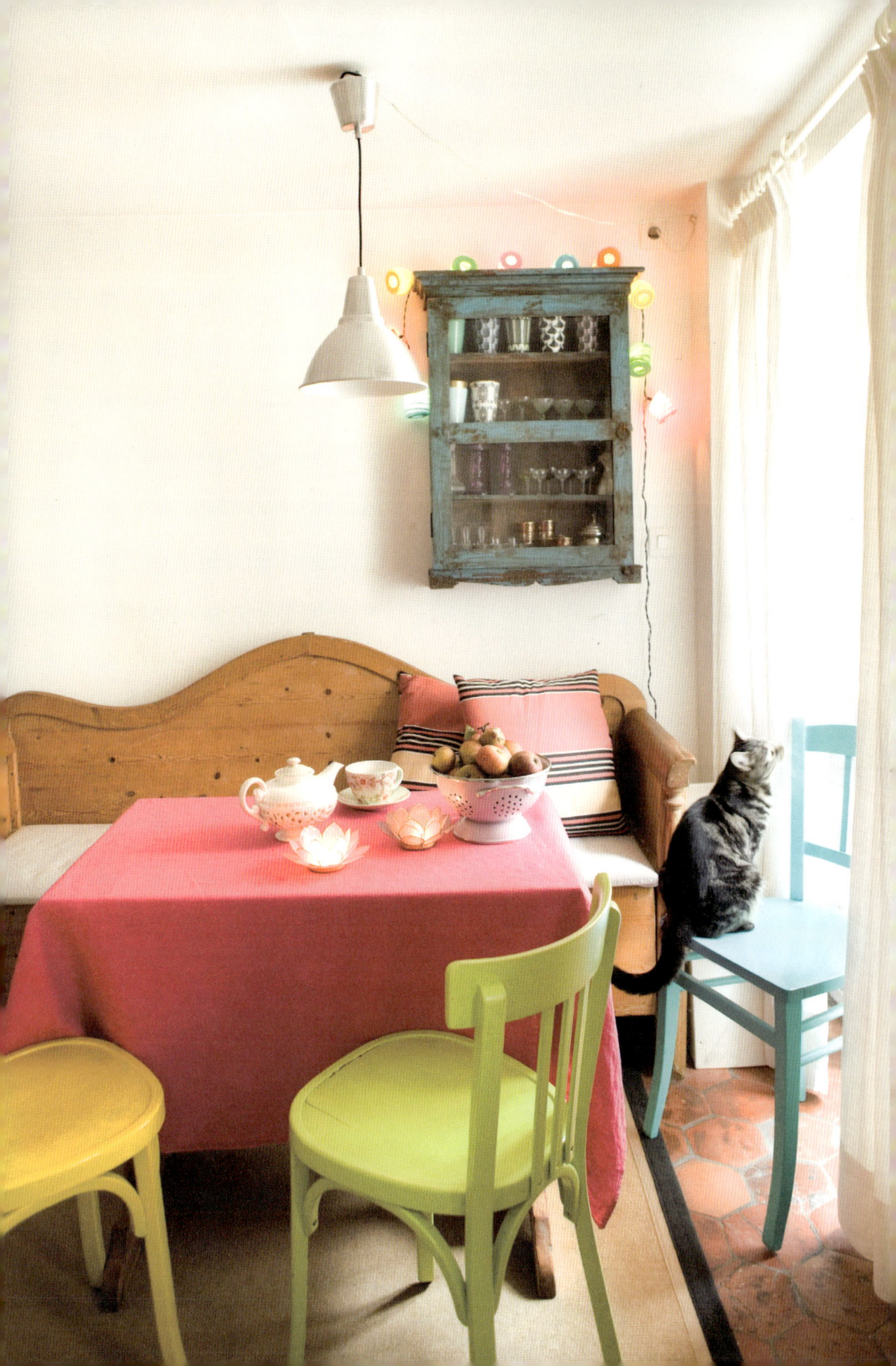

ジョアンナ・フルニエ
Johanna Fournier

plasticienne　造形アーティスト

アパルトマンで、お引っ越しエキシビジョン

ボルドーで生まれ、レンヌでアートを学んだジョアンナ。
パリに来てから、しばらくの間は、あちこちの
友だちの部屋をたずねながら、暮らしていました。
このモントルイユのアパルトマンに出会うまでは……。
ジョアンナは引っ越してきてすぐに、お披露目を兼ねて
ここでアーティスト仲間たちと一緒に展示会を開きました。
家具はすべて運び出して、友だちの作品をディスプレイ。
100人もの人々が、集まってくれたのだそう。
忘れられない、楽しい思い出の展示会です。

左上：ランプシェードは、アーティスト仲間からのプレゼント。左中：イスタンブールで見つけた、布の染色パウダー。右上：壁のペイントは、展示会のデコレーションの名残。左下：ジョアンナの作品。日常に溶けこむにアートをコンセプトに、カラフルなキューブをテーブルの脚にチェーンで固定しています。右下：夏になったら履こうと楽しみにしている、ウェッジソールのサンダル。

のみの市で有名なモントルイユは、パリ近郊の町。もともとはアフリカからの移民が多く暮らしていましたが、小さな一軒家があちこちにあり、緑も多い環境にひかれて、若いアーティストたちも移り住んできています。パリ中心部にはないのんびりした雰囲気にひかれた、ジョアンナもそのひとり。彼女の部屋は、サロンとアトリエ、そしてベッドルームに分かれていますが、部屋を隔てるドアがありません。外したドアをジョアンナは、アトリエのデスクの天板にリサイクル。自由な発想で、インテリアを楽しんでいます。

左上：アトリエの作業台の上には、新しい作品の素材、黒いゴム・シートでできた「a」の文字。左下：都市空間とアートの関連性について書かれたダニエル・ブランの本と、秘密の宝物を入れている缶。右上：リセの職業訓練コースで、美術を教えているジョアンナ。ショッピングバッグをテーマに生徒が描いた作品。右下：ジョアンナの造形作品のひとつを、ベッドサイドのテーブルに。

左中：本棚にはアートスクール時代の友だちが手がけた、にんじんをモチーフにした作品。オレンジ色のラックには、アパルトマン近くの映画館のパンフレット。右上：オブジェの色をひきたてるよう、アトリエの壁は黒くペイント。左下：いまいちばん行ってみたいロシアをイメージして、マトリョーシカや花柄のボウルをディスプレイ。右下：アパルトマンのあちこちに、小さな植物を置いて。

オーリアヌ・グロスペラン
Auriane Grosperrin
brodeuse créatrice textile　刺しゅう家＆テキスタイルデザイナー

やわらかい手触りと色あわせの、やさしいサロン

ピンク、赤、オレンジ、ベージュ……
グラデーションが美しい、オーリアヌ手作りのカバー。
やさしい色で染めあげた、シルクの布地で作った
小さなクッションを、ひとつひとつ縫いあわせます。
つなぎあわせた数は、なんと1300個！
サロンの壁にかけた、存在感のあるタペストリーは
紙片を1枚ずつ、インクで染め分けて
モンゴルの女の子を、描き出したもの。
その色や質感から、あたたかさが伝わってきます。

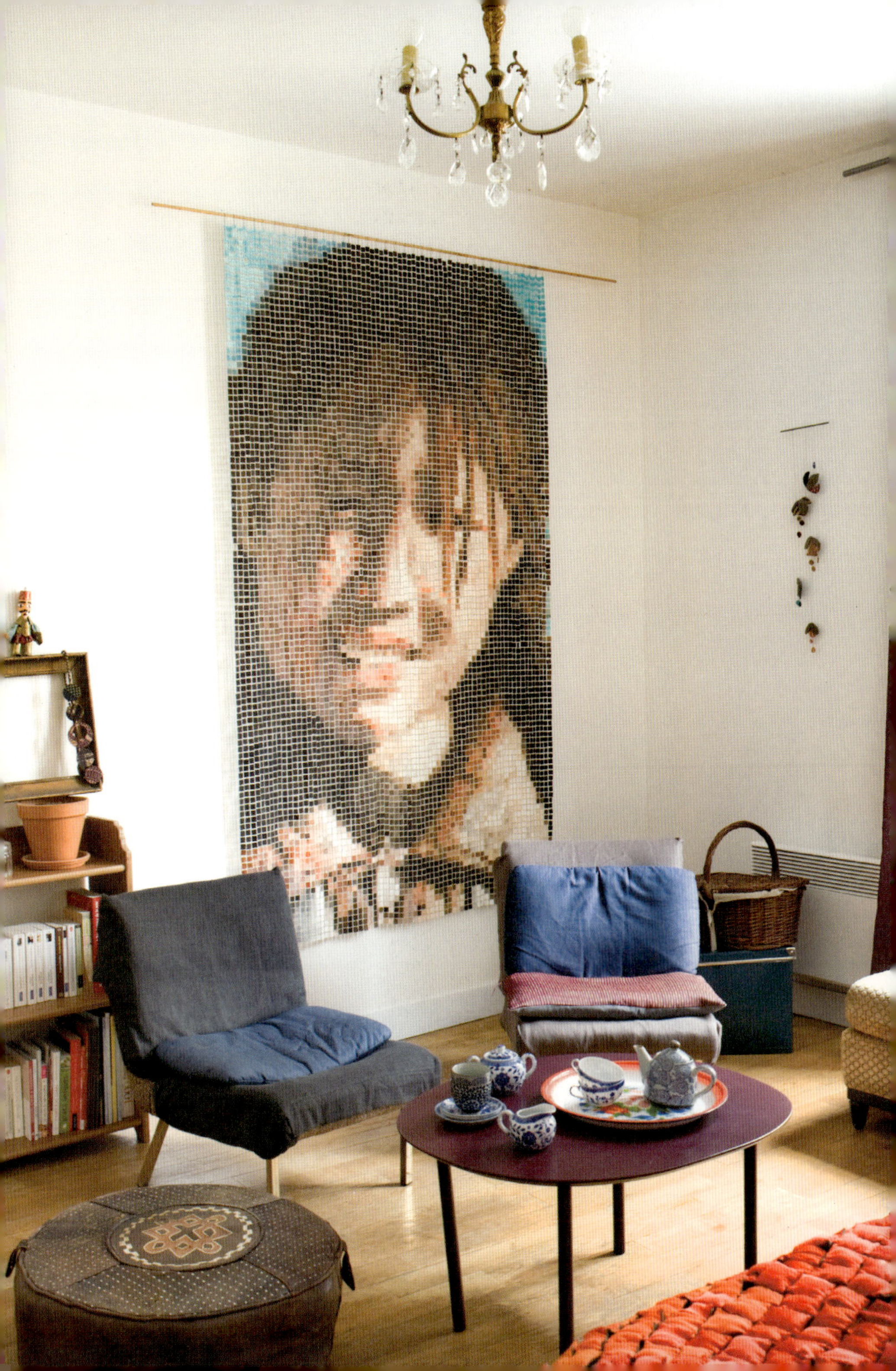

おだやかなほほえみが、やさしい印象のオーリアヌ。テキスタイルデザイナーとして、一点物の作品を手がけるほか、オートクチュール・メゾンからのオーダーや、ブティックのディスプレイなどを手がけています。彼女が暮らすのは、モントルイユに建つ1930年代のアパルトマン。これまでずっと友だちとルームシェアをしていたので、はじめてのひとり暮らしです。2部屋をプライベートの空間と、アトリエに使い分けているオーリアヌ。ファブリックのあたたかな色あわせが、くつろいだ気分にさせてくれます。

左上：壁に飾っているのはモンゴルにインスピレーションを受けて製作した作品。フレームの上の人形は、チュニジアみやげ。左下：兄弟と一緒に旅したチュニジアの思い出をまとめた旅日記。右上：オーリアヌが手がけたアクセサリー・コレクション「フーシアのボール」と「青い巣」。右下：本棚の上にはセネガルから持ち帰ったマスクと、学校の課題で撮影した写真をディスプレイ。

左上：デッサン用の人形に、手作りの洋服やアクセサリーをつけて。左中：セネガルやブラジル、チュニジアなど、さまざまな国を旅しているオーリアヌ。右上：アトリエの窓側の壁面は、かわいらしいピンクにペイント。ナチュラルな色あいの木製の家具とともに、やさしい雰囲気がただよいます。左下：刺しゅう用の糸。右下：デスク前に吊り下げた、テキスタイルのインスピレーションソース。

アレクサンドラ・バルザム
Alexandra Balzam
styliste　スタイリスト

ファッションのように、自由にコーディネート

ファッションと同じで、インテリアも
ミックス・スタイルが楽しいでしょう？ という
スタイリストのアレクサンドラ。
70年代のカラフルなタムタム・スツールに
学校で使われていた机や、ペルシャじゅうたん
そして、イームズのロッキングチェア……。
自分の好きなものばかりを、コーディネート。
さまざまなテイスト、まったく異なる年代の家具を
遊びごころたっぷりに、リミックスします。

Le Cerisier : LES ROSACÉES
RAMEAUX DE CERISIER
BOURGEONS DE CERISIER
DISPOSITION DES FLEURS
FORMATION DU FRUIT ET DE LA GRAINE

アレクサンドラが暮らすのは、パリ20区のピレネー通り。ビュット・ショーモンまでジョギングをしたり、ギュイニエ広場のマルシェでお買物をしたり、このカルチエでの毎日を楽しんでいます。オスマン様式の建物の最上階が、アレクサンドラの部屋。アパルトマンはベッドから空を眺めることができるベッドルームと、広々としたドレッシングルームとしても活躍するサロンの2部屋。スタイリストという仕事柄、サロンには洋服やアクセサリー、バッグなど、たくさんのコレクションが並んでいます。

左上：イームズのハンガーラックに、よく身につけるアクセサリーやバッグなどをかけて。右上：スタイリストとして活躍しながら、「ビッグ・ダディーズ・デッド」というバンドでコーラスを担当しているアレクサンドラ。右下：テキスタイルデザイナー、アンヌ・ユベールのクッションカバー。

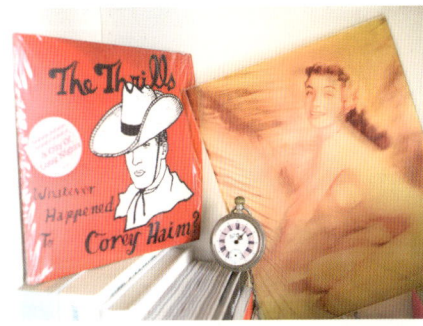

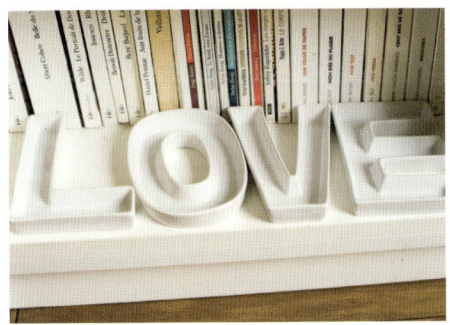

左上：ザ・スリルズのレコードと、のみの市で見つけたガラスにエッチングされたピンナップガール。左中：70年代のアペリティフ用プレート。右上：テーブル横の壁には、両親から譲り受けたフレームを並べて。左下：ずっと欲しいと思っていたイームズのロッキングチェアは、仲間たちからのプレゼント。右中：子どものころの写真と、友だちの作ったお財布。右下：親友のジェラルディンの作品。

左上：たたんだ洋服をしまうのにぴったりの収納棚は、通りで偶然に見つけたもの。古いマネキンも、型くずれしやすい帽子を重ねておくのに活躍。**右上**：玄関のドアには、友だちとの写真をピンナップ。**右中**：チョコレートメーカーの木箱を、マガジンラックに。**左下**：小石を集めているアレクサンドラ。ハート型の石は、ノルマンディの海辺で。**右下**：ベッド上のクッションは両親から。

左上：お母さんから譲り受けたアクセサリーホルダーに、ランバンのブローチをディスプレイ。**右上**：ドレッサー脇に張ったロープに、ピアスを並べて。**左下**：ガレージセールでの掘り出し物のドレッサー。**右中**：古着屋さんで見つけた写真付きのハンガーで、シンプルな洋服ラックを楽しく。**右下**：お気に入りの香水はアニック・グダールの「オーダドリアン」とカルバン・クラインの「CKワン」。

Cabaret Voltaire
JOAN BAEZ IN CONCERT
ROBERT
50 ANS DE ROCK
ALMODÓVAR

ヴァニナ・エスクベ
Vanina Escoubet
créatrice de vêtements　ファッションデザイナー

クリエーションのアイコンたちに囲まれて

ピンクフロイドに、トム・ウェイツ
ローリング・ストーンズ、ザ・キュアー。
そして、あこがれの存在のパティ・スミス。
ヴァニナのアパルトマンには、たくさんの
レコードジャケットがディスプレイされています。
毎日の暮らしの中に、インスピレーションを
見つけるという、デザイナーのヴァニナ。
音楽は、自由な空想の世界に彼女のこころを
羽ばたかせる、大きな翼になっています。

取扱いショップ / Please Don't ... 11 rue de Picardie 75003 Paris　01 42 74 31 42

サンマルタン運河は、「北ホテル」や「アメリ」など、有名な映画にも登場するロマンティックなカルチエ。料理好きなヴァニナにとっては、ワイン屋さんやお肉屋さんなど、おいしい食材屋さんが立ち並ぶ通りがあることも魅力です。この地区に1900年代に建てられたアパルトマンの5階がヴァニナの部屋。ニュアンスのあるグレーが好きというヴァニナは、壁をやわらかいグレージュにペイントしました。天井近くの梁には青いガラスの浮きや鳥のオブジェを飾って、ヴァカンスのようなエッセンスを加えています。

左上：ベッド頭上の壁には、東京から持ち帰った着物をディスプレイ。左下：のみの市で見つけたオレンジのランプと、お母さんからもらった黒い羽根。右上：よい夢と眠りをもたらしてくれるおまもり、ドリームキャッチャーと、ブルターニュの港町で見つけたブルーの浮き。右下：よく身につける洋服はコーディネートしやすいよう、ラックのそばに靴やバッグも一緒に置いて。

左上：ヴァニナのブランド「プリーズ・ドント」のサンプルとして制作したワンピース。**中上**：友だちが作ってくれたポシェットと、お気に入りの写真集。ニコは創作にインスピレーションを与えてくれる存在。**左下**：家でお裁縫をするときのためのデスク。**右中**：友だちが写真撮影のスタイリングで使った、白い鳥のオブジェ。**右下**：のみの市などで集めている、ビーズやスパンコール。

93

Rym Zouai

リム・ズーアイ

créatrice de vêtements et accessoires　洋服＆小物デザイナー

キラキラ光る、シルクスクリーンのスタジオ

キラキラ光る、グリッター仕上げのギターに
80年代生まれだから！と言って笑うリム。
アパルトマンの1部屋が、彼女のアトリエ。
スウェーデンのチダホルムという小さな村で
シルクスクリーン印刷を学んだ、リム。
ラテン語で、夕暮れと光を意味する
「ヴェスパー・リュクス」という名前の
ブランドを立ち上げて、オリジナルの
Tシャツや雑貨を手がけています。

取扱いショップ / Aimecube … 7 rue Vauvilliers 75001 Paris　01 40 26 55 83
Emilie Casiez … 57 rue Charlot 75003 Paris　01 42 74 59 89

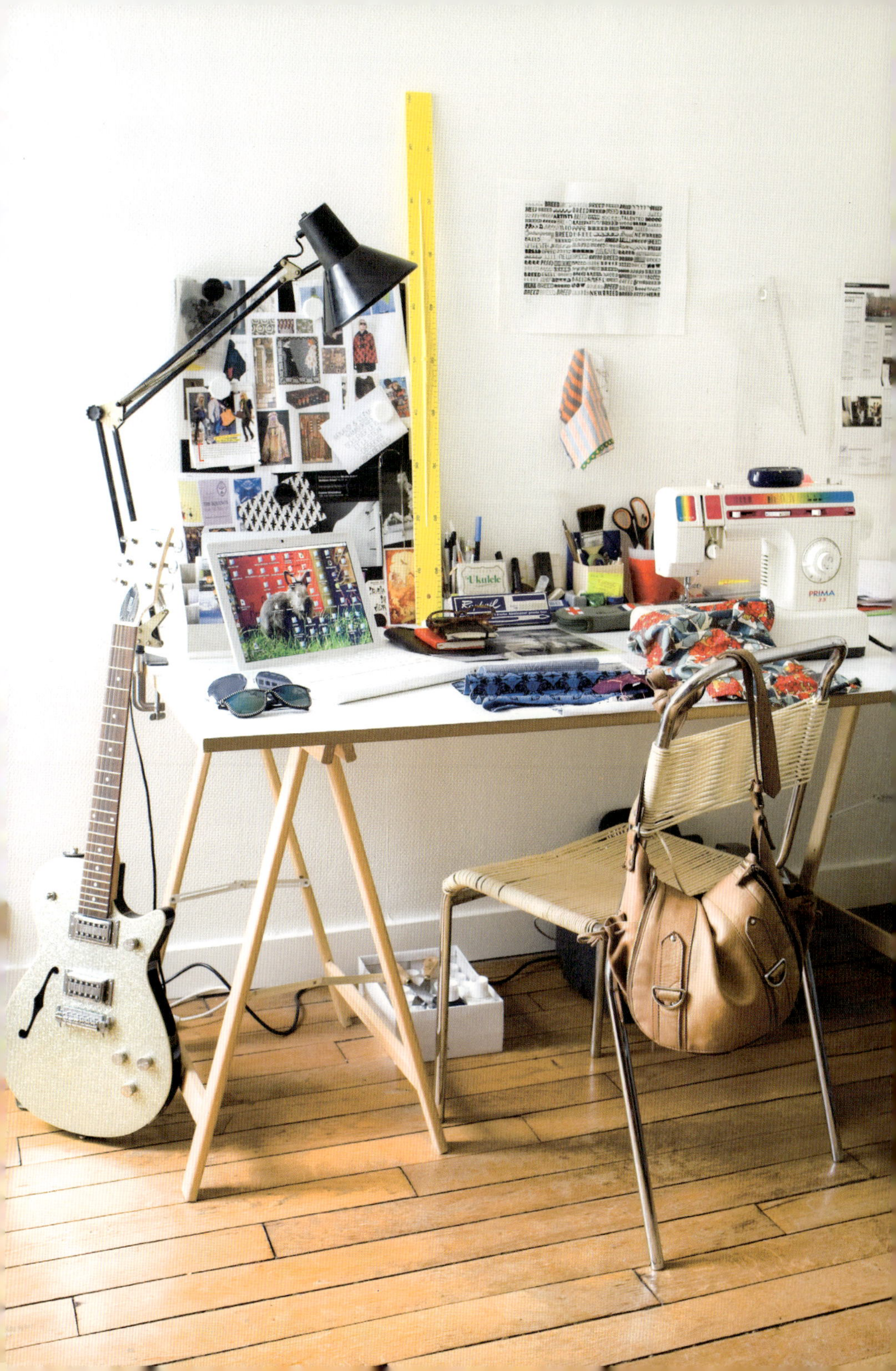
Ukulele
PRIMA

クリニャンクールののみの市が開かれるサントゥーアンは、パリ北部の郊外の町。のみの市の近くに暮らすことができて、ラッキーだったというリムは、日曜日によく掘り出し物探しに出かけます。この建物はもともと倉庫として1930年ごろに建てられましたが、いまではカフェや住まいとして利用されています。お気に入りのものは収納するよりも、目に見える場所に置いておくのが好きというリム。玄関では、クラシックな帽子コレクションがお出迎え。洋服や雑誌などを、部屋のデコレーションにしています。

左上：80年代のミシンは、お母さんから譲り受けたもの。左下：「グレッチ」のギターを抱えるリム。デザインと同じくらい音楽が好きで、ボーカルを担当するバンド活動も。右上：のみの市で手に入れた、ヴィンテージのワンピース。右下：友だちへのクリスマス・プレゼントを探しているときにおもちゃ屋さんで見つけた、ラジカセ型クッション。本当に音楽が聞けるのだそう！

左上：コレクションしている、ヴィンテージのサングラス。左中：イギリスのモードヴィジュアル誌「ルラ」は、リムのお気に入り。右上：のみの市で見つけたゴールドのランプと、ネット・オークションで手に入れたソファー。左下：イスの上のバンビは、両親からのプレゼント。ヘリコプター柄のバッグはリムの作品。右下：ベッドサイドには、いま読んでいるスペインの作家の小説。

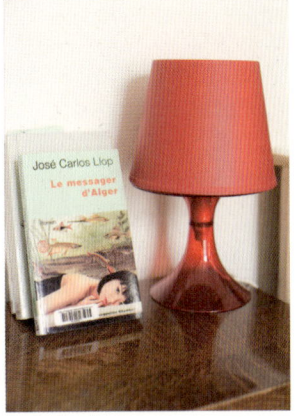

左上：玄関に飾られる、旅先やのみの市などで集めてきた素敵な帽子たち。右上：「ディプティック」とジョン・ガリアーノのコラボレーションで生まれたルームスプレー。右中：リムが最初に手がけたTシャツ・コレクションの1枚。左下：玄関に並ぶ、カラフルなパンプス。右下：「イケア」で見つけたクッション。右ページ：ポップな色使いが楽しいキッチン。テーブルはリムがペイント。

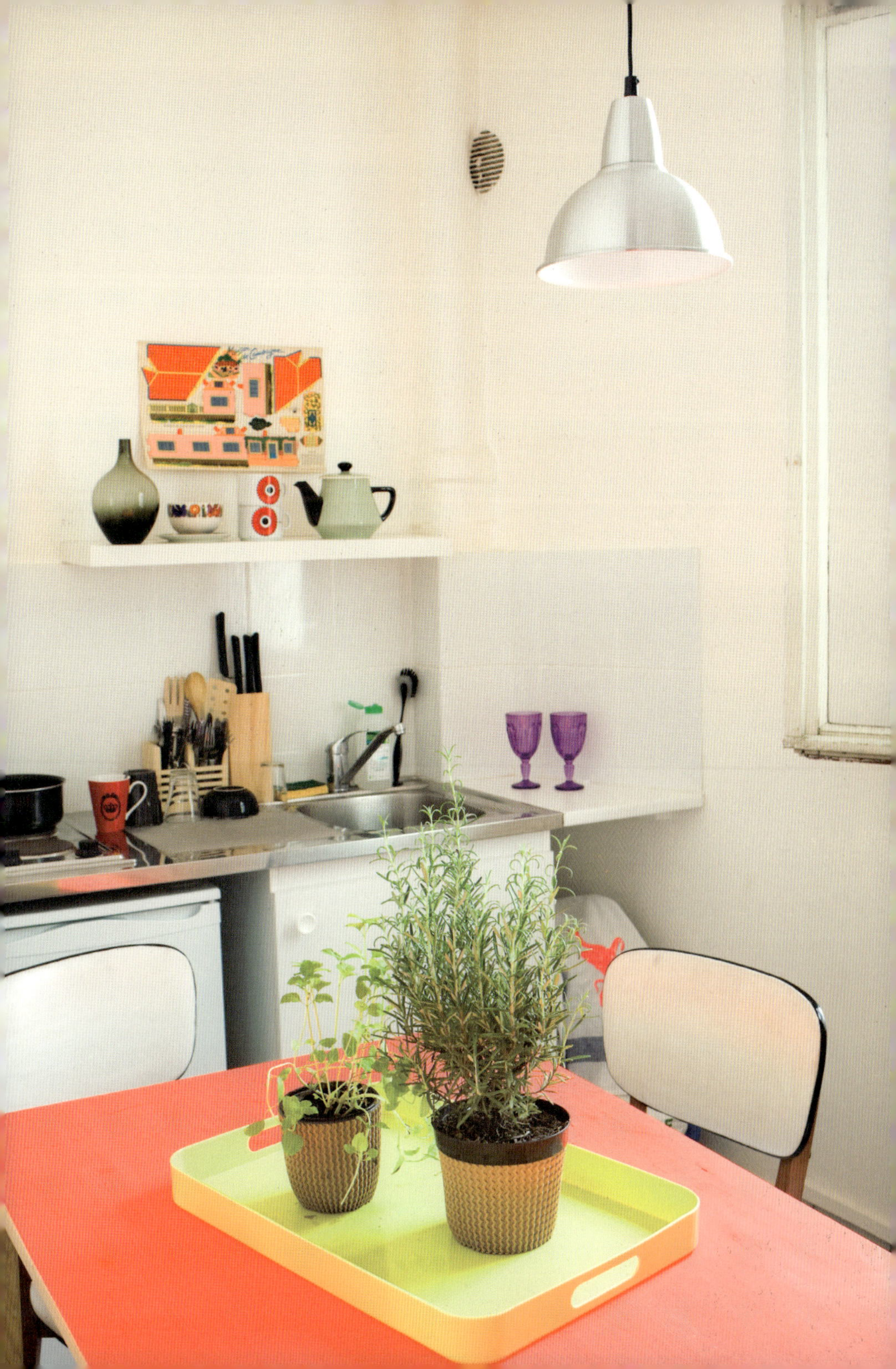

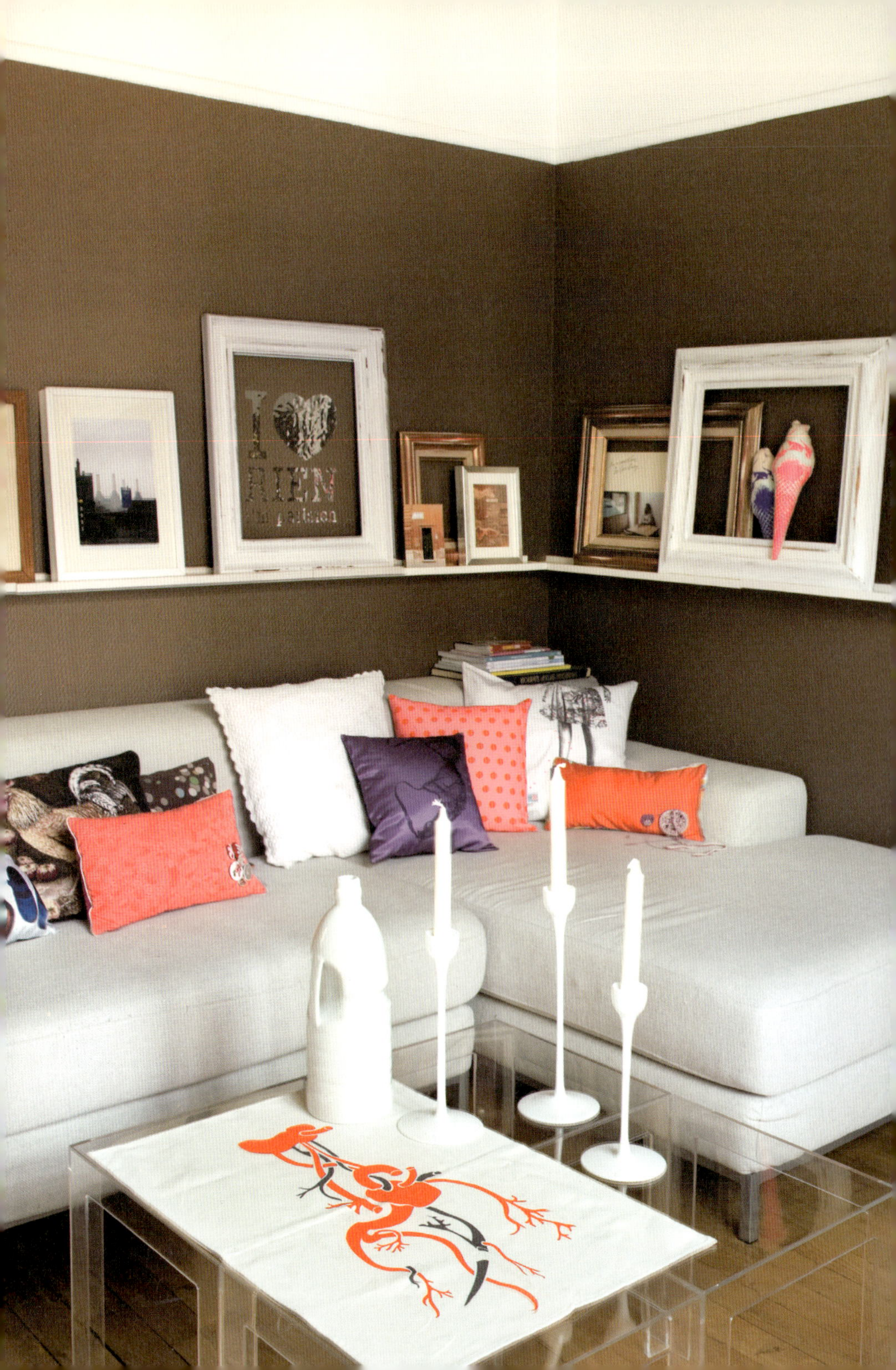
I ♥
RIEN

ドロテ・ビュシェール
Dorothée Beucher
créatrice de la boutique «Désordre Urbain»　ショップオーナー

ゆったりと楽しめる、チョコレートカラーのサロン

シックなチョコレートカラーのサロン。
大きなソファーには、クッションを集めて
友だちと過ごすのに、ぴったりの空間に。
白い飾り棚に並ぶのは、ドロテの宝物たち。
レコード、版画、ヴァカンスの思い出の写真と
壁にリズムをつけてくれるフレームたち。
そして、新しい才能を見つけることが
楽しみというドロテが出会った、フレッシュな
クリエーターたちの作品も飾られています。

取扱いショップ / Désordre Urbain ... 96 rue Nollet 75017 Paris　01 44 85 52 27

パリ北部の郊外、アスニエール・シュール・セーヌに、ネコのビリー・ジャンと一緒に暮らすドロテ。デザイン・ショップ「デゾルドル・ウルバン」をオープンさせた彼女は、このおだやかな町で子どものころを過ごしました。そばに暮らしている仲のいい幼なじみたちが、いまでも彼女のアパルトマンによく集まるのだそう。部屋の中は、ドロテのお店に並ぶクリエーターの作品をはじめ、ユニークなデザイン・オブジェがいろいろ。そこへドロテの手作りの家具や雑貨が混ざり、あたたかみのある空間になっています。

左上：本棚にしているローチェストの上には、「プレス・シトロン」のシルバーの写真フレーム。
右上：輝くような毛並みが美しいネコのビリー・ジーンと一緒に。右下：「マ・マミー・イッピー」のアイスクリーム型ミニクッションは、ドロテが最近出会った、お気に入りのクリエーター作品。

左上：ソファーの上の個性豊かなクッションたち。右上：エスニックなプリントの布地は、バッグづくりのために。左中：ロンドンに住んでいたときから、お気に入りのペンダント。左下：シャワーカーテンは、「ラ・ファイエット」のメゾン館で。右下：鏡の前には、リラックスタイム用の「プリンセス・タムタム」のガウン、ドロテの試作品のバッグ、アクセサリーを飾って。

左上：大みそかに友だちからプレゼントされた、小さな赤い箱とハートの飾りがついたスティック。右上：お母さんからもらった、ゲランのフェイスパウダー。左下：ドロテのドレッサー・コーナー。スチール製のチェストは、もともと庭で使われるもの。右中：イタリア人のセラミックアーティストの作品。右下：ドロテが愛用している、ジャン・ポール・ゴルチエの香水。

上：ベッドルームをフェミニンな空間にしたいと考えていたドロテは、壁を赤くペイント。左中：読書家のドロテおすすめの2冊。25歳のパリジェンヌの日常を描いたBDと、エリック・エマニュエル・シュミットの小説。左下：玄関に並べたパンプス。ターコイズブルーのヒールは、仕事でも、クラブへ遊びにいくときも活躍。右下：ランセルの黄色いバッグは、旅に出るときはいつも一緒。

Aurélia Paoli

オレリア・パオリ

designer textile et illustratrice　テキスタイルデザイナー＆イラストレーター

お気に入りの絵画に囲まれた、アート・ギャラリー

雑貨を手にするよりも、世界にひとつしかない
アート作品や絵画にひかれるという、オレリア。
アパルトマンのドアを開けてみると、
廊下は、まるで小さなギャラリーのよう。
サロンやベッドルームにも、さまざまな
アーティストたちの作品が飾られています。
ギャラリーで手に入れることもあるけれど
自分が描いたものと、交換してもらうことも。
アートが、コミュニケーション・ツールになっています。

取扱いショップ / L'Art de Rien ... 48 rue d'Orsel 75018 Paris　01 42 52 75 84

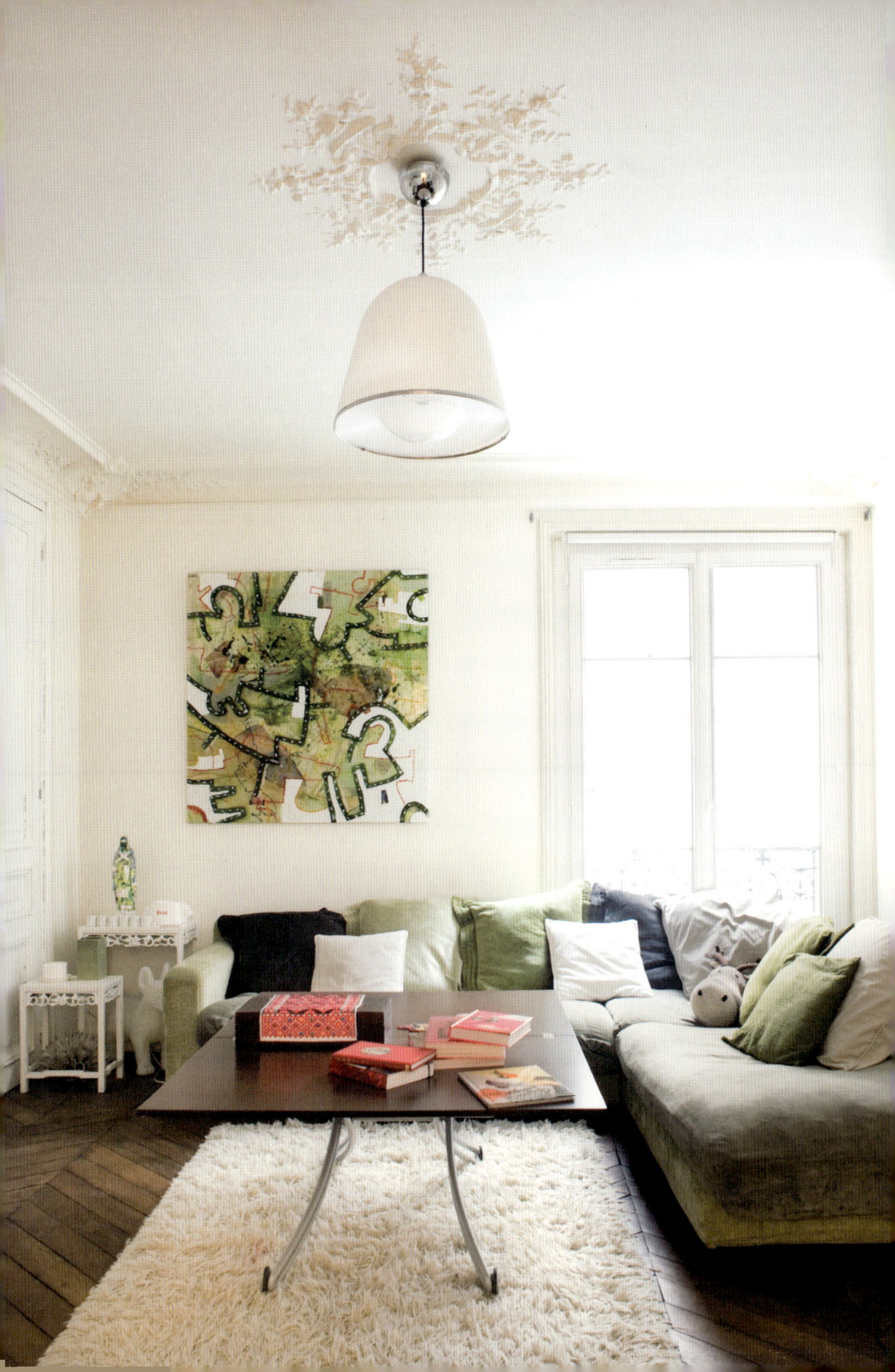

レ・アールは、1970年ごろまで大きな食品卸し市場があったところ。オレリアが暮らすモントルグイユ通りのアパルトマンの中庭も、もともとはお肉屋さんがストック用に使っていた、冷凍室だったのだそう。テキスタイルデザイナーとして活躍しながら、「ビズ−トゥーズ」というプロジェクトを立ち上げ、より個人的なイラスト作品も手がけるオレリア。彼女が暮らすのは、家族で住めるほど、広々とした間取りの部屋。その十分な広さをいかして、仲のよい友だちとルームシェアしながら暮らしています。

左上：オレリアのデッサンに囲まれる小さな棚には、ユダヤの神様をかたどったオブジェ。左下：サロンに飾ったオレリアの絵画の下に、大好きな紅茶をいつでも飲めるようサモワールを置いて。右上：アーティスト仲間からプレゼントされたマリア像を置いたテーブルの下には、「メレジーヌ」のブルテリア型ランプ。右下：ヴィンテージの壁紙は、アート・プロジェクト活動で使用する素材。

左上：サロンに置いたデスクは「ビズートゥーズ」の製作のためのスペース。**右上**：ゴールドの水玉プリントのベビードール風ワンピースは、アパルトマンの中にある洋服のショールームでひとめぼれ。**右中**：ニューヨークへ旅したときの思い出を1冊にまとめた『エタ・ダム』。**左下**：ストリート・アーティストの合同展で発表した作品。**右下**：玄関には、オレリアが口紅で描いた作品をディスプレイ。

109

左上:ベッドルームに置いた机は、デザインの仕事用。右上:オレリアが手がけたふたつの作品と、グラフィティ・アーティスト、ナスティの作品。右中:セルジュ・ルタンスの香水瓶に自分のアーティストネームを刻印。「ルージュ・オリーヴ」の陶器ボトルは、オレリアのデザイン。左下:旅先で見つけたクッションをベッドに。右下:アイデアをまとめるノートのそばに、仲のいい友だちとの写真を飾って。

左上：手放すのが惜しいほど、気に入っている1枚。右上：ベッドの頭上の壁を、アート作品のディスプレイコーナーに。左下：ベッドルームにある赤のコーナー。情熱や愛をイメージさせる赤は、インスピレーションの源。窓の模様は、オレリアがポスターカラーでペイントしたもの。右中：ナスティからのプレゼント。右下：赤いバスケットには、スクーター用のヘルメットを入れて。

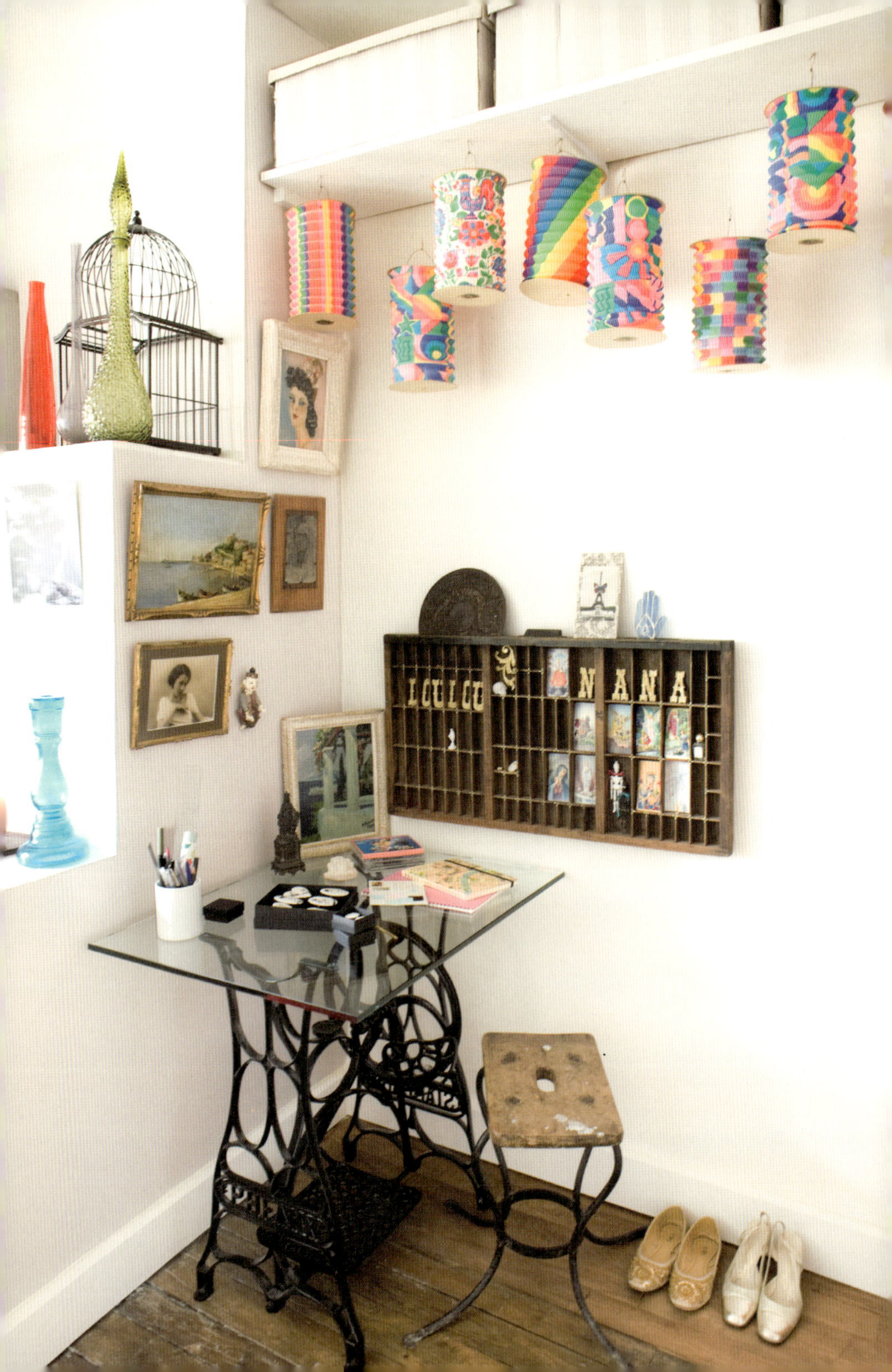
LOULOU
NANA

ヴィオレット・ヴァン・パリー
Violette Van Parys
créatrice de bijoux　アクセサリーデザイナー

やさしいぬくもりに包まれる、すみれの香り

朝の光、雨の香り、くしゃくしゃにした紙。
目に見えるものや、耳に聞こえてくる音、
手に触れるもの、そして香りやにおい。
ささやかだけれど、こころに響いたことを
すべて、ノートに書き留めて……。
毎日の中で感じる、インスピレーションを
ことばにしておくという、ヴィオレット。
そんなポエティックで、やさしい感性が
この小さなアパルトマンにもただよいます。

取扱いショップ / Chantal Thomass ... 211 rue du Saint-Honoré 75001 Paris　01 42 60 40 56
Zazoubara ... 13 avenue du Père-Lachaise 75020 Paris　01 46 36 08 20

ヴィオレットは、白いセラミックを素材にしたアクセサリーを手がけるデザイナー。彼女の住まいは、パリ20区、小さな階段をのぼった坂の上に建つアパルトマンです。もともと暗い印象だった部屋を、友だちに手伝ってもらいながらリフォーム。壁は白く、床はフローリングにしたキッチン付きサロンと、ベッドルームができあがりました。ミシン台をテーブルにリメイクしたり、印刷屋さんが使っていた活字用の棚をリサイクルしたり。ノスタルジックなデザインの家具が、ぬくもりとやさしさを加えています。

上：ひいおじいちゃんが作った美しい木製のチェストの上に、ポストカードや思い出のオブジェを並べて。ヤギの頭がい骨は、サヴォワに暮らすお母さんの家のそばの野原で見つけたもの。左下：メッシュ素材のボックスの中は、コレクションしているリボンでいっぱい。右下：ヴィオレットが手がける、キュートなセラミックのブローチ。小さなカップケーキ型に入れてディスプレイ。

左上：古い鏡は、ひいおじいちゃんが細工をほどこしたもの。右上：ピーチカラーが美しいシルクのチュニックに、ヴィオレットが手がけたペンダントをあわせて。左中：ノスタルジックなヴィジュアルが気に入った教会のカード。左下：パリをモチーフにしたアクセサリーは、フリーハンドでペイント。右下：ダイニングコーナーに貼った闘牛のポスターは、子どものころ旅したスペインの思い出。

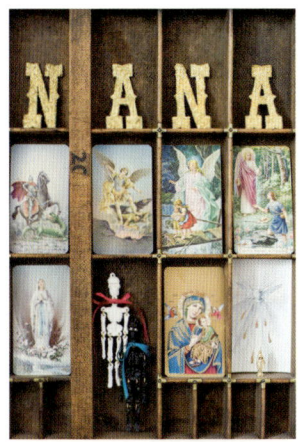

左上：ブローチでカーテンを楽しくデコレーション。中上：ダイニングのランプは、のみの市で。右上：おばあちゃんのために定期的に編集しているCDの曲目リスト。左中：リスボンみやげのマリア像。中中：ドアには恋人との写真を飾って。右中：復刻版のペイネ人形。左下：手放せない、美しいノートたち。中下：「ピエログルマン」のキャンディースタンド。右下：ベッドルームに飾った鳥のオブジェ。

左上：バスルームでは、飾り棚の上に並べたさまざまなバスケットに整理整とん。右上：カラフルな天使のオブジェはおまもりとして。左中：夏になると、よくかぶるストローハット。左下：歯ぶらしスタンドには、ロンドンみやげのビーズでできたマーガレットも一緒に。右下：洗面台の下に重ねた「ラ・ヴィオレット」の木箱は、10区にあるお店のもの。自分と同じ名前に、ひとめぼれ。

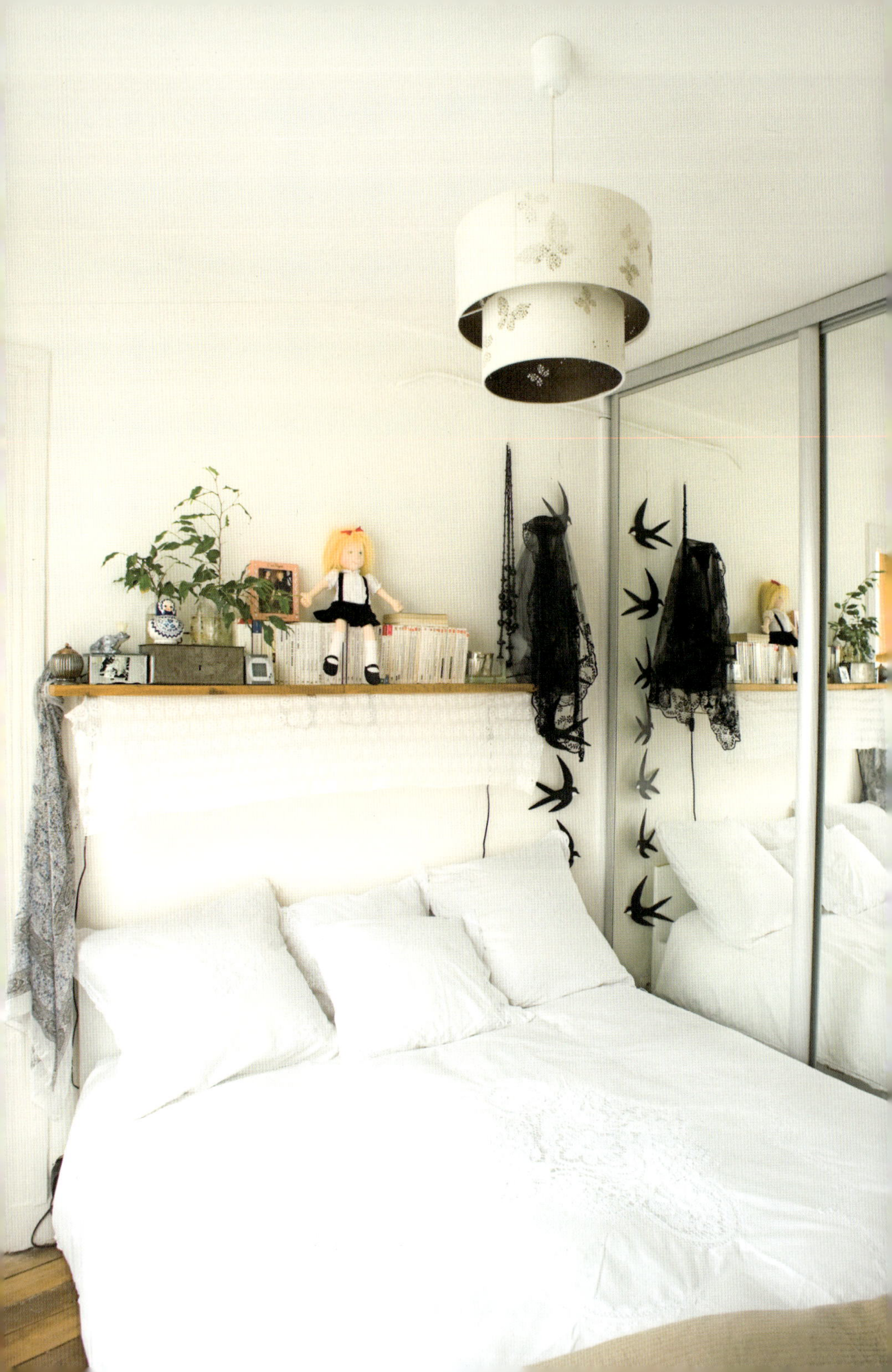

左上:いちじくの葉影のマトリョーシカは、おじいちゃんから。右上:古いチェストの上には、ひいおじいちゃんのランプをはじめ、ロンドンや日本からのおみやげを並べて。左下:お母さんがペイントしてくれたランプと、布地を張り替えてシックに生まれ変わった長イス。右中:アクセサリーが映える洋服が多いというヴィオレットのワードローブ。右下:「BHV」で見つけたボタンを使ったアクセサリーラック。

CHAMO
シャモ

illustratrice　イラストレーター

カートゥーンのような、ハッピーでポップな世界

私には幸運の星がついているの、というシャモ。
広々としたスペースを、手に入れただけでなく
リフォームしてみると、美しいモザイクも発見。
そして、このアパルトマンに置いている
家具や雑貨も、通りに捨てられていたものや
元の持ち主が、手放そうとしていたときに
偶然に、見つけたものが多いのだそう。
そんなオブジェとシャモの運命的な出会いから、
カラフルでポップな世界が生まれています。

FERRAILLE PRODUCTIONS, INC. Presents a
WALT and GONZO'S
MR FERRAILLE
CARTOON
THREE BEARS

イラストレーターのシャモが暮らすのは、11区のパルマンティエ。さまざまなカルチャーが混ざりあう、このカルチエには居心地のいいカフェやバーがたくさんあります。シャモが暮らす部屋はもともとオフィス、さらにその前はバーだった場所。パリの一般的なアパルトマンよりも、手ごろに広い空間を見つけられましたが、そのかわり天井から床まですべてにリフォームが必要でした。バーだったころのモザイクの床や味のある天井の梁に、カラフルでキッチュなオブジェが加えられ、魅力的な空間になっています。

上:壁を取り払って広々とした1階の中央は、捨てられていた長いテーブルを置いてダイニングコーナーに。窓辺をサロンに、その隣にはカウンターで仕切ったキッチンをレイアウト。
左下:フォーマイカの食器棚にディスプレイしているトレーと魔法瓶は、友だちからのプレゼント。
右下:レトロなデザインが気に入っているテーブルとホーロー製品は、のみの市での掘り出し物。

左上：黄色と茶色のタイルを交互に貼ったキッチンは、どこかなつかしい雰囲気。右上：子どもたちとのふれあいがインスピレーションというシャモ。学校やレジャーセンターで美術を教えていたことも。右中：ベルリンに住んでいたころ、のみの市で見つけた缶。左下：植物と一緒に、看板用の文字を飾って。右下：標識や看板を集めているシャモのコレクションが、部屋のいたるところに。

左上:美しい曲線のらせん階段をのぼると、アトリエへ。右上:水色のチェストの上に置いた黄色の
ランプ。色の取りあわせが美しい。右中:トランクいっぱいのコスチュームは、大好きな仮装パー
ティー用。左下:バスルームで使うものは、ベルリンで見つけたボックスの中に。右下:パリのメトロ
の雰囲気を出すため、緑と白のタイルを貼ったバスルーム。壁にも駅の広告風にポスターを飾って。

左上：いま取り組んでいるイラストは、エージェントのポスター用。**右上**：シャモが手がけた CDジャケットと、パーティーの招待状。**左中**：友だちのアーティスト、アリン・マリンが作った ぬいぐるみのまわりに、なつかしいおもちゃをディスプレイ。**左下**：作品やインスピレーションを 感じるオブジェを飾った壁面。**右下**：2階は自然光がたっぷり入ってくる、明るいアトリエ。

toute l'équipe du livre

édition PAUMES

Photographe : Hisashi Tokuyoshi

Design : Kei Yamazaki, Megumi Mori

Textes : Coco Tashima

Coordination : Yong Andersson, Lisa Sicignano, Fumie Shimoji

Éditeur : Coco Tashima

Art direction : Hisashi Tokuyoshi

Contact : info@paumes.com   www.paumes.com

Impression : Makoto Printing System

Distribution : Shufunotomosha

Nous tenons à remercier tous les artistes qui ont collaboré à ce livre.

édition PAUMES　ジュウ・ドゥ・ポゥム

ジュウ・ドゥ・ポゥムは、フランスをはじめ海外のアーティストたちの日本での活動をプロデュースするエージェントとしてスタートしました。
魅力的なアーティストたちのことを、より広く知ってもらいたいという思いから、クリエーションシリーズ、ガイドシリーズといった数多くの書籍を手がけています。近著には「サンフランシスコのキッチン」や「ロンドンのかわいいアトリエ」などがあります。ジュウ・ドゥ・ポゥムの詳しい情報は、www.paumes.comをご覧ください。

また、アーティストの作品に直接触れてもらうスペースとして生まれた「ギャラリー・ドゥー・ディマンシュ」は、インテリア雑貨や絵本、アクセサリーなど、アーティストの作品をセレクトしたギャラリーショップ。ギャラリースペースで行われる展示会も、さまざまなアーティストとの出会いの場として好評です。ショップの情報は、www.2dimanche.comをご覧ください。

Appartements de filles à Paris
パリジェンヌのアパルトマン

2009年 5月31日 初版第 1刷発行

著者：ジュウ・ドゥ・ポゥム

発行人：德吉 久、下地 文恵
発行所：有限会社ジュウ・ドゥ・ポゥム
　　　　〒150-0001 東京都渋谷区神宮前 3-5-6
　　　　編集部 TEL / 03-5413-5541
　　　　www.paumes.com

発売元：株式会社 主婦の友社
　　　　〒101-8911 東京都千代田区神田駿河台 2-9
　　　　販売部 TEL / 03-5280-7551

印刷製本：マコト印刷株式会社

Photos © Hisashi Tokuyoshi
© édition PAUMES 2009 Printed in Japan
ISBN978-4-07-266710-1

Ⓡ＜日本複写権センター委託出版物＞
本書（誌）を無断で複写複製（コピー）することは、著作権法上の例外を除き、禁じられています。本書（誌）をコピーされる場合は、事前に日本複写権センター（JRRC）の許諾を受けてください。
日本複写権センター（JRRC）
http://www.jrrc.or.jp　eメール：info@jrrc.or.jp　電話：03-3401-2382

＊乱丁本、落丁本はおとりかえします。お買い求めの書店か、主婦の
　友社 販売部 MD企画課 03-5280-7551 にご連絡下さい。
＊記事内容に関する場合はジュウ・ドゥ・ポゥム 03-5413-5541 まで。
＊主婦の友社発売の書籍・ムックのご注文はお近くの書店か、
　コールセンター 049-259-1236 まで。主婦の友社ホームページ
　http://www.shufunotomo.co.jp/ からもお申込できます。

ジュウ・ドゥ・ポゥムのクリエーションシリーズ

パリジェンヌたち30人のかわいい暮らし
Petits appartments à Paris
パリの小さなアパルトマン

著者：ジュウ・ドゥ・ポゥム
ISBNコード：978-4-07-250441-3
判型：A5・本文 128 ページ・オールカラー
本体価格：1,800 円（税別）

チャーミングなラブ・ストーリーがいっぱい
Appartments d'amoureux à Paris
パリの恋人たちのアパルトマン

著者：ジュウ・ドゥ・ポゥム
ISBNコード：978-4-07-254982-7
判型：A5・本文 128 ページ・オールカラー
本体価格：1,900 円（税別）

パリの女性アーティスト26組のハンドメイド空間
Ateliers de Filles 2
パリジェンヌたちのアトリエ2

著者：ジュウ・ドゥ・ポゥム
ISBNコード：978-4-07-260416-8
判型：A5・本文 128 ページ・オールカラー
本体価格：1,800 円（税別）

お気に入りに囲まれた創作の空間
London Ateliers
ロンドンのかわいいアトリエ

著者：ジュウ・ドゥ・ポゥム
ISBNコード：978-4-07-265572-6
判型：A5・本文 128 ページ・オールカラー
本体価格：1,800 円（税別）

おだやかでぬくもりのある北欧の暮らし
Stockholm's Apartments
北欧ストックホルムのアパルトマン

著者：ジュウ・ドゥ・ポゥム
ISBNコード：978-4-07-254002-2
判型：A5・本文 128 ページ・オールカラー
本体価格：1,800 円（税別）

さわやかな北欧のカップルの家を訪ねて
Stockholm's Love Apartments
北欧ストックホルム 恋人たちのアパルトマン

著者：ジュウ・ドゥ・ポゥム
ISBNコード：978-4-07-259330-1
判型：A5・本文 128 ページ・オールカラー
本体価格：1,800 円（税別）

www.paumes.com

ご注文はお近くの書店、または主婦の友社コールセンター（049-259-1236）まで。
主婦の友社ホームページ（http://www.shufunotomo.co.jp/）からもお申込できます。

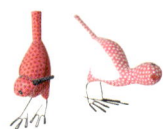

PARIS

Appartements de filles à Paris

édition PAUMES